# 翻訳に生きて死んで

日本文学翻訳家の波乱万丈ライフ

Kwon Nam-hee
クォン・ナミ
藤田麗子＝訳

平凡社

文章が指先にぴったり絡みついてくる感じ。
まるで自分が書いた文を訳しているみたいに。

# はじめに——私の翻訳人生の8割は〝運〟

幼い頃から、作文と読書が好きだった。最初に抱いた将来の夢は児童文学作家と小説家で、その後もコピーライターや雑誌記者、出版社の編集者など、書くことや読書に関連した仕事ばかりを夢見た。ただし、翻訳家になろうと思ったことは一度もない。前述した職業は、文才さえあれば勉強ができなくてもなれるけれど、翻訳という仕事は少なくとも修士号や博士号を持っているとか留学経験のある、いわゆる高学歴な人々にしかできないと思っていたからだ。私にかぎらず、当時はほとんどの人がそんな認識だったのではないだろうか？　一緒に日本語を専攻していた先輩や友人の中に、夢は翻訳家だという人は一人もいなかった。

しかし、人生何が起こるかわからない。修士や博士の学位もないし、留学したといっても、勉強のために行った日本で失恋して帰ってきただけ。ツテもコネもなく、勇気もコミュ力もなかった26歳のとき、無鉄砲に翻訳の世界へ飛び込んだ。

根気がなくて飽きっぽく、新年の抱負はいつも三日坊主に終わり、何をやっても100日以上続かないこの私。1、2冊訳したら放り出すのが関の山だろうと踏んでいたが、なんと40代半ばになった今も、恋の始まりのようにときめく気持ちで翻訳を続けている。

もちろん、私にだってわかっている。自分の翻訳人生の8割は〝運〟のなせる業だった、と。

村上春樹の人気に火がついて、村上龍の知名度が少しずつ上がり、若い作家の日本文学が韓国の読者に浸透してきた頃、私は翻訳を始めた。キム・ナンジュ先生［吉本ばなな、江國香織、東野圭吾などの作品を多数翻訳］とヤン・オックァン先生［村上龍、村上春樹の作品を多数翻訳。妻のキム・ナンジュと『冷静と情熱のあいだ』を共訳した］のデビューとほぼ同時期だ。初めて仕事をくれた出版社の社長の言葉どおり、日本文学の翻訳を担う層が大学教授や日本植民地時代に日本語を学んだ方々から若い翻訳家へと世代交代しつつある時期だった。留学経験者で実力派である前述のお二方が破竹の勢いで素晴らしい本を翻訳していたのとは違い、くだんの〝運〟のおかげでタイミングに恵まれたとはいえ、誇れるスペックもなく、出版社に人脈もなかった私は、この業界に居場所を確保するまで、およそ10年にわたってがむしゃらに闘った。

　そしてまた10年が過ぎた。インターネットを見ていると、ときどき「日本小説を選ぶときはクォン・ナミという訳者の名前を見て決める」と称賛してくれる読者がいたかと思えば、「クォン・ナミが翻訳した本は絶対に読まない」と固く心に決めている読者もいる。読者の頭の中に〝日本文学翻訳家クォン・ナミ〟という名前が刻まれているだけでもありがたいかぎりだ。何はともあれ20年という歳月は無駄じゃなかったんだな、と胸がいっぱいになる。

　今から、この20年間をとても臆病に、あるいは熾烈《しれつ》に、翻訳家として生きてきた話をしたいと思う。この本が翻訳家志望者たちに希望や挫折を、翻訳家なんかにまるで興味のない人々に関心と好奇心を抱かせたとしたら、その後どうしたらいいのかはさっぱりわからないけれど。

２０１１年春

クォン・ナミ

## 改訂版に寄せて――いつまでもこの場所で翻訳をする人でいたい

『翻訳に生きて死んで』が発行されてから10年になる。昔の人は「10年経てば山河も変わる」と言ったが、うちの町内はいくつか新しい建物ができたぐらいで、あまり変わっていない。2車線道路もそのままだし、その道路沿いにある我が家もそのままだ。私は今も同じ家に暮らし、同じルーティーンで翻訳の仕事をしている。意図したわけではないけれど、十年一日のごとく変化のない人間として生きている。

しかし、身近な人々には大きな変化があった。ちびっこマネージャー［72ページ参照］だった一人娘の静河《ジョンハ》が大学を卒業し、立派な社会人になった。静河は大学に進学するとき、迷わず日本語専攻を選択した。おなかにいるときから日本語に慣れ親しんでいたし、我が家には日本語の本も多いから、日本語を学ぶにはうってつけの環境だ。勉学に励んで学者にでもなれたら言うことなし。万一のときは翻訳業界の門を叩いてもいい。

ところが、いざ大学に入ると、静河は二重専攻［大学・大学院で二つの学科や学部を同時に専攻できる制度。ダブルメジャー］の経営学のほうを楽しむようになった。日本語よりも自分に合っているという。せっかくなら交換留学までして身につけた日本語能力を生かせるといいなと思っていたが、静河が大学4年生になったぐらいの頃から日本製品の不買運動が巻き起こり、日本語専攻の学生にとっては最悪の状況となった。翻訳が彼女の適性に合わないということは早々にわかっていたから、無理には勧められなかった。いきなり進路が不明確になったが、幸いにも経営学が好きだった静河は未練なく日本語を捨て、地道に就職活動をして、いい会社に入った。この本にも、幾度となく変化する静河の将来の夢の話を書いたが、現在の夢は今の会社に骨をうずめることらしい。これからも変わらないといいなと思う。

この10年の間に、多くの別れも経験した。父が波乱万丈な人生を締めくくり、83歳で亡くなった。命懸けで愛した犬のナムが虹の橋を渡った。本書の初版に推薦の言葉を寄せてくださったナム・ギョンテ先生［社会学者。作家。人文学分野の翻訳家］が持病であまりにも早く旅立った。この本が出たとき、いちばんに「時間を忘れるほど夢中になれる、笑えて教養も身につく本をお探しなら、『翻訳に生きて死んで』はいかがでしょう？」とツイッターにアップしてくれて、「実に過酷な奮闘記なのに、笑わずにはいられない」と新聞に素敵な書評を書いてくれたハンギョレ［韓国の日刊新聞］のク・ボンジュン記者が不慮の事故で惜しくも亡くなった。

その一方で、『翻訳に生きて死んで』を読んで翻訳家を目指すことになったという若者たちが、今や一人前となって活躍している。彼らは当時、夢ができた、感銘を受けたと私のブログにコメントを書き込んだり、メールを送ってきたりした。

そんな若者たちの中に、1、2冊翻訳をしたことはあるが、まだ本として出版された作品はないという駆け出しの翻訳家がいた。彼は私のブログによくコメントをくれた。内容はいつも「クォン・ナミ先生のような翻訳家になりたいです」だった。私は誰にも個人的な質問をしたことはない。自分のことで精一杯で、彼らをサポートしてあげる余裕がなかった。翻訳家を夢見る人々に私がしてあげられることといえば、校長先生のお話のようにありきたりなアドバイスだけだった。

大部分の人がそうだったが、彼も頼みごとをしてきたり、自分をアピールしたりすることはなかった。そんなある日、出版社からリーディング〔海外書籍を読み、あらすじや感想をまとめたレジュメを作成する作業〕のオファーが入ってきた。仕事が立て込んでいたのでお断りしようとしたとき、彼のことを思い出した。何を専攻したのか、どこの学校を出たのか、何歳なのか、本名は何というのか、何ひとつ知らない。わかっているのは、翻訳に対して真摯な姿勢を持っているということだけ。翻訳家は目に見えるスペックより実力が重要だから、実にフェアな職業だ。この駆け出しの後輩は、自分に与えられた貴重なチャンスを華麗につかみ取った。彼が作成したレジュメは、素晴らしい出来栄えだったのだ。それ以来、また別の出版社からリーディングを依頼されたときも、私はときどき彼を推薦するようになった。どの出版社でも、レジュメの完成度が高いと好評だった。

あるときスケジュールの都合で青春小説の翻訳を引き受けられず、私はついに代わりの訳者として彼を推薦した。レジュメの素晴らしい出来栄えを知っていた出版社は、思いきって新人翻訳家に翻訳を任せた。チャンスは準備ができている者だけにやってくる。こうして着実に成長を遂げた彼は、今や有名作家の作品を多数手がける、経歴10年の翻訳家になった。『翻訳に生きて死んで』を読み終えるやいなや、翻訳アカデミーに駆けつけて入会手続きをしたという読者もいる。それを知ったのは、その読者が翻訳家としてのポジションを確立した後だったが、たいした〝意志の韓国人〟〔1970年代にビタミン剤のCMで使用され、流行語となったキャッチコピー〕だなと感心した。このように、『翻訳に生きて死んで』は私の知らないところで誰かに翻訳家の夢を芽生えさせ、誰かの人生に役立っていた。心から光栄に思う。

数年前から改訂版を出そうと出版社に提案されていたが、私には自分が書いた本や翻訳した本を読み返せないという慢性病があるので、適当に受け流していた。ところが昨年のある日、外出先から帰ってくると、静河がこの本を読みながらすすり泣いている。そして、こう言った。「お母さん、この本ってすごく感動的。これは絶対また世に出すべきだよ。ぜひ改訂版を出して。こんな〝神作品〟、今まで読んだことない」。静河に褒められたのは本当に久しぶりのことだったからうれしかったが、「うわぁ、この本は読み返せないから無理よ」と断った。「お母さん、お願いだから読んでみて。ホントにおもしろいし、感動的だよ。すごくうまく書けてる。お母さんを見直した」と切々と懇願された。実際に、その日から尊敬のまなざしで私を見つめるようになった。

1週間も続かなかったけれど。

その後もずっと読んでみるように勧められ、やむなく読み始めたこの本。ホラー映画を観るときのように体を斜めにそらし、顔を覆った指のすき間から、見てはいけないものを見るようにページをめくった。ところが、いつしか体は正面を向いていた。おぉ、悪くないわね、いいじゃない。10年前の私はどうしてこんなにうまく書けたのかしら、といつしか自己陶酔に陥り、時間が経つのも忘れて読みふけった。読み終わると、改訂版を出版しなくてはもったいないと思うようになっていた。

『翻訳に生きて死んで』の出版からちょうど10年目の2021年、新しいエッセイ集『ひとりだから楽しい仕事』〔日本語版は2023年刊行〕を上梓した。『翻訳に生きて死んで』が過労死しそうなほどアグレッシブに働いたエピソードだとすると、『ひとりだから楽しい仕事』はのんびりと翻訳を楽しみながら暮らす日々の物語だ。本が出るやいなや読者からの反響があって驚いた。この10年、大きな財を成すことはできなかったけれど、翻訳書がさらに100冊近く増え、私を知る読者もそれだけ増えたのだ。だてに10年やってきたわけじゃないんだな、と思ったらジーンときた。先日、サイン会のために訪れた独立系書店の店長さんから「先生が翻訳なさった本をたくさん読みながら青少年時代を過ごしました」と挨拶され、ファンだと打ち明けられて、また胸がジーンと熱くなった。私が訳した日本文学を読んで育ったという編集者から翻訳を依頼されることも多い。翻訳を始めた頃に生まれた赤ちゃんたちが今年で30歳を迎えるほど歳月が流れた。私はいまだに大人げないままで情けないかぎりだが、そのおかげでときめく気持ちを失わずに翻訳を続けられているのかもしれない。

改訂版の発行に向けて原稿を整えながら、「過労死しそうなほど働いてきたんだなぁ」と思ったが、日本文学の人気が高い時期だったおかげで素晴らしい作家の作品を思いきり翻訳することができた。今は子育ても一段落し、心に余裕を持って翻訳を楽しんでいるが、あの頃に戻れと言われるなら喜んで戻る。あれほど素晴らしい作品の海にどっぷり浸かれる日々は、もう二度と訪れないかもしれない。幸せな時期だった。

ものすごいベストセラーだったわけでもない本書がじわじわとインターネット上で知られていき、こうして化粧直しをして再び世に出ることとなったのは、ひとえに読者のみなさまのおかげです。いつまでもずっと、着実に翻訳を続けて、文章を書いていきたいです。ありがとうございます。

2021年夏

クォン・ナミ

目次

# 第2章 夜型翻訳家の孤軍奮闘 67

## 第3章 翻訳の実際 145



## 第4章 書くことの幸せ 203

*本書は『번역에 살고 죽고』(初版2011年、改訂版2021年、マウムサンチェク刊)の日本語版です。

*本文中の[ ]は訳者による注釈です。

*第3章「解釈と翻訳の違い」「部品か? ビニール袋か?」のハングルの箇所については、原書のまま掲載しております。

# 第1章

# 翻訳の海に足を浸す

# キジの代わりに鳳凰！

数年前のことだ。祖母の葬式で会った遠い親戚のおばあさんに、母が私の紹介（を口実とした自慢）をした。

「この子はうちの末娘。翻訳の仕事をしとるんよ」

「ほんやくって何です？」

「翻訳いうんはな、日本の文章を朝鮮の文章にすることや」

「んまぁ〜、技術をしっかり学んだんですねぇ。娘さんにどうやってそんな尊い技術を教えはったんですか？」

チャン・ソパルとコ・チュンジャ［1950年代にデビューした伝説の漫才コンビ］の漫才じゃあるまいし。場所が場所だけに、笑いがポップコーンのように弾けそうになるのを必死でこらえた。翻訳業の娘をダシにして博識ぶる母の表情がおかしくて、田舎で農業を営む真っ黒に日焼けした顔のおばあさんが首がもげそうなほどうなずきながら感心する様子もおもしろい。母はそのリアクションに勢いづいて、さらに数人に〝翻訳家の娘〟を紹介（自慢）して回った。

〝日本の文章を朝鮮の文章に〟訳していて一息つくとき、たまにそのおばあさんの言葉が頭に浮かんでくる。まさに名言ではないか。翻訳が〝尊い技術〟だなんて。たしかに、翻訳は実に素晴らしい技術だ。しかし、とても難しい技術だ。それを20年近く使いこなしてきたのなら、そろそろ『生活の達人』〔さまざまな業種の達人が出演する韓国のバラエティ番組〕に出てもおかしくない頃だが、この技術とやらの頂点はまだ見えてこない。それでも翻訳スキルを身につけたおかげで我が子を養い、マイホームまで買えたのだから、とにかくありがたくて素晴らしい技術であることは間違いない。

　高校時代に立てた人生計画は「どこかの島で小説を書きながら暮らす作家になる」というものだった。夢ではなく、計画だった。これを実現すべく、まずは卒業までに学校の図書室にある本をすべて読破するという目標を掲げた。こじらせ系文学少女の無謀な挑戦といったところだろうか。3年間必死で読んだけれど、図書室にある本の半分の半分の半分も読めないまま、大学に願書を出す時期がやってきた。大学受験が現実として目の前に迫ってくると、島でどうのこうのなどと寝ぼけたことは言っていられなくなった。小説家になりたいと言っておきながら、いざ文学を専攻するとなると急に怖い気もしてきた。私が文学を学んだところで、はたして文壇デビューを果たせるのか？　文章を書いて食べていけるのか？　自信がない。ようやく分別がついたというか、必死に目をそらしてきた自分の才能のなさを受け入れたというか。それで、文学の代わりに日本語を選択した。外国語を学んでおけば、生計を立てるのに役立つだろうと思ったのだ。

　日本語に専攻を決め、「文学を専攻しなくたって小説は書けるじゃない。安定した職に就いてから書けばいいよ」と自分をなぐさめた。食べていくために学ぶ外国語。英語も好きだったが、あえて日本語を選択したのは、ひとえに高校2年生のとき読んだ三島由紀夫の『金閣寺』のおかげだ。初めて日本小説を読み、何とも言えないゾクゾク感を覚えた。将来、日本小説の翻訳を生業とすることになるという運命の兆しだったのだろうか。

家電製品は一瞬の選択が10年を左右すると言われるが、大学の専攻の選択は一生を左右するらしい。あのとき、何も考えずに国文科や文芸創作科に進んでいたら、私の人生はどうなっていたのだろう？　非才の身ではきっと文壇デビューなど夢のまた夢で、卒業後は適当に就職し、結婚して子どもを産んで平凡な暮らしを送りつつ、「私にも、文学少女だった頃があったのよね」なんて言いながら老いていったのではないだろうか。学生時代の私の目標を覚えている友人たちは、「毎年、新春文藝［新聞社や雑誌社が年初に毎年開催する新人作家発掘コンクール。作家の登竜門としての役割を担っている。現在、約30社が実施］が発表されると、ひょっとしたらあなたの名前があるかもしれないと思って探してたのに」と残念がる。そして、翻訳のことを「キジの代わりにニワトリ［手に入らないときは他のもので代用するという意味のことわざ。鯛なくば狗母魚（えそ）］をつかまえたのねぇ」とからかう。彼らは知らない。キジの代わりにニワトリではなく、私はキジの代わりに鳳凰をつかまえたのだということを。

## 暇人の日々

前途洋々たる20代半ばの頃、私は部屋で一日中ゴロゴロしながら過ごすニートだった。それも、海外留学――学問への志もなく、カッコつけでしばらく行ってきただけだが――までして帰ってきたというのに。健康で、大学まで出て、お金を使うだけ使った人間がぶらぶらしているときの周囲の視線といったら、まさに〝見えないナイフ〟だ。振り返らなくても、背中に突き刺さる冷たい視線のせいで全身に寒気が走る。ニート生活をしたことのある人にはわかってもらえるだろう。道行く人はみんな幸せそうなのに自分だけが不幸に思えるみじめさ、自分だけが足を踏み外して地球からぽとんと滑り落ちてしまったような絶望感を。満開の美しい花たちの隣でしおれゆく木蓮の花びらを見ながら、「あぁ、きみはまるで私みたいだね」とひどく感情移入してしまう悲しさを。長い年月が過ぎ去った今になって思えば、夜明け前がいちばん暗かったというだけのことなんだけど。

インターネットもない時代だったから、就職情報がそこらじゅうに溢れているわけではなかったし、遠い親戚までしらみつぶしに探しても就職の口利きをお願いできる人は見つからず、狭い交友関係の中には会いに行って助けを求められるような先輩もいなくて……。「容姿に恵まれていないんだったら、ツテやコネでもなきゃいけないのに、何もないなぁ」と嘆きながら、日本から帰国後の数カ月間を暇人として過ごした。就活シーズンが終わった中途半端な時期に帰ってきたせいで、新聞の求人広告はパッとせず、ぜひとも入りたかった雑誌社や出版社、広告会社には針の穴ほどのチャンスも見当たらなかった。それなのに、私はきっとうまくいく、有名な人になれるはず、という根拠のない自信はどこからやってきたんだろう。暇人生活にくたびれて、脳の機能が一時停止していたのだろうか。

暇人の一日のスケジュールは、朝食後に読書、昼食後に読書、夕食後に読書だった。幼い頃から本好きではあったけれど、三度三度の食後のデザートみたいに読むほど四六時中たしなんでいたわけじゃない。それなのに毎日、本を手放さずに過ごした理由は、一つ目、タダめし食いの自分が嫌だったから。二つ目、今後どんな職業に就くとしても読書は盤石な基礎になると思って。三つ目、テレビ三昧よりは読書三昧のほうがまだ見苦しくない感じがするから。そして重要なことだが、本さえ持っていれば大人たちは勉強していると思ってくれるので、就職しろ、嫁に行け、という小言を聞かずに済む。

そんなふうに読書にどっぷり浸かって過ごしていたある日、また別の暇つぶしを見つけた。小説の翻訳だ。日本留学中に買った本が何冊かあったので、それをノートに訳していった。締切間近だと急かされることもないし、誤訳だなんだととがめられることもなく、実に楽しい作業だった。どんなにたくさん訳しても翻訳料金をもらえないのはちょっと悲しかったけれど。

嗚呼、それでも待てば海路の日和ありと言うべきか、夢は叶うと言うべきか。チャンスは何の前触れもなく、ある日突然やってきた。友人の上司の知人……など数人を介して知り合った小説家の先生が、しがない私に翻訳の仕事ができる出版社を紹介してくれたのである。

# ニート、羽ばたく

1991年の早春、紹介された出版社を訪問した。場所はソウルの忠正路《チュンジョンノ》だ。出版社に行くのは生まれて初めてのことで、忠正路に行くのも初めてだった。昔も今も他の追随を許さない方向音痴の私が、カチコチに緊張して路地をさまよいながらたどりついたA出版社。「翻訳家になるぞ！」という野望を抱いて訪れたわけではない。しばらくアルバイトでもさせてもらえたらありがたいな、ぐらいの気持ちだった。

ところが、豪放な社長は何も聞かずに本を1冊ポンと渡してくれた。そして、片隅に積み上げられた日本の書籍を指さすと、「この本の翻訳がよかったら、あそこにある本も任せますね」と言った。数年かけても訳しきれそうにない量だ。「うひょ～、あんなにたくさんの本を訳すことになったら、一生かかるかも。私のニート生活、今日で終わるのかな？」。希望に胸がふくらんだ。翻訳料金は200字詰め原稿用紙［韓国では文学賞などの応募規定枚数も200字詰め原稿用紙換算が一般的］1枚当たり6000ウォン［1ウォン＝約0・1円］というありえない価格だったが（雑誌の翻訳アルバイトをしたときでも8000ウォンもらえた時代だ）、超初心者に仕事を任せてくれるだけでもありがたかったし、お金より、まずは実績を積むことが重要だと考えた。

翻訳する本を受け取った私は、すぐに16ビットパソコンとプリンタを買った。まるで翻訳工場を開くような気分だった。パソコンを教えてくれる人はいなかったが、わざわざ習うまでもない。使うのは、アレアハングル［韓国を代表するワープロソフト］だけだから。大学時代にタッチタイピング講座に通ったこともあったから、入力スピードは速い。両親は私が一度も習ったことのないパソコンを操作しているのを見て、誰かに会うたびに「あの子は昔から頭がええから、判事か何かになるんやないかなぁ〜と思っててん」と自慢した。

驚く家族の視線を一身に浴びながら、昼も夜もせっせと訳したのはダニエル・スティールの小説だ。原題は『カレイドスコープ』［日本語翻訳版は『愛のカレイドスコープ』］。チェ・ジンシル主演の大ヒットドラマ『約束』［1992年に最高視聴率41・5パーセントを記録］の原作がダニエル・スティールの同名小説［日本語翻訳版は『二つの約束』］だったので、彼の小説も人気を集めていた。日本語専攻の私が初めて翻訳した小説がなぜダニエル・スティールの本なのかって？　私が訳したのは当然、日本語に翻訳された小説だ。今もそうだが、当時も英語より日本語の翻訳料金のほうが低かったから、大役を任せてもらえたのだろう。

ダニエル・スティールの小説を翻訳するのは本当に楽しかった。仕事なのか遊びなのかわからないほどの楽しさだった。誰に催促されるわけでもなく、締切が迫っているわけでもなかったが、食事と睡眠の時間以外はパソコンにかじりついて翻訳作業を続け、初心者にしてはかなりの短期間で素早く1冊を仕上げた。プリントアウトして校正をしてからフロッピーディスクを郵送すると、社長は初めての翻訳原稿を確認して、こう言った。

「どうしてこんなスピードでこんなにいい訳ができるんですか？　やっぱり若い世代の翻訳は一味違うねぇ。これまで日本語の翻訳家は、植民地時代に日本語を習った年配の方々が多かったでしょう？　日本語翻訳も世代交代の時期なんだなぁ。訳文がとても新鮮ですね」

　こんなお褒めの言葉と一緒に、翻訳を任せたいという本を数冊持たせてくれた。ニートだった私は、ついにパタパタと羽ばたき始めたのである。

# 代理翻訳の悲哀

初めて翻訳した小説『カレイドスコープ』が出版された。ドキドキしながら初めての本を待っていたら、A出版社の社長にこう言われた。

「英米小説なのに、翻訳者が日本語専攻っていうわけにはいかないでしょう？　だから、他の人の名前で出しましたよ」

もっともなご意見だと思った。残念ではあったけれど。その後さらに2、3冊の英米小説を訳したが、やはり他の人の名前で出版された。しかし、チャンスはめぐってきた。いよいよ日本小説を翻訳することになったのだ。五木寛之という有名な作家の小説だった。やっと自分の名前で翻訳書が出版されると思うとうれしくてたまらず、いっそう楽しく、いっそう入念に取り組んだ。

やがて本が出版されたが、私の名前はなかった。社長は言った。

「ナミさんはキャリアがないから、他の人の名前で出しました」

もちろんショックだったが、その意見も一理ある。でも、仕事をするたびにあれこれ理由をつけて他人名義で出版されるなら、私はどうやってキャリアを築いていけばいいのだろう。経歴のない私は、ずっと代理翻訳しかできないのだろうか？

それでも、残念に思っているとは言えなかった。下手にくやしいと騒ぎ立てて仕事をもらえなくなったら、何の得にもならない。まだ修業の段階なのだと考えることにした。

ところが、永遠に続くかに思えたその出版社との関係は、意外にも早く終わってしまった。代理翻訳に関しては社長の意向を理解できたから、残念ではあったけれど、異議を唱えることはなかった。しかし、若かった当時の私には受け入れがたい出来事が起こったのである。そのA出版社は原稿を他社に販売することもあったが、私に支払われる翻訳料金との間に大きな差があった。私が受け取る翻訳料金は原稿用紙1枚当たり600ウォンだったのに、他の出版社には1500ウォンで販売していた。しかも企画料まで上乗せして、原稿にはまったく手を入れないまま。原稿を購入したB出版社の編集者と、校正について電話で話をしたときに知った事実だった。

頭にきた。最初に1枚当たり600ウォンと聞いたとき、安いなとは思ったけれど、自分の翻訳の質に確信を持てなかったから、喜んで受け入れた。ところが、3、4冊ほど翻訳しても料金をアップしてくれる気配はまるでない。「1500ウォンの価値がある原稿なら、半分はくれるべきでしょ？　これって、やりがい搾取よね」と思ったら、夜も寝られなかった。そこで翻訳料金の引き上げを要求することにして、思い悩んだ末、社長に手紙を書いた。B出版社から翻訳料金の話を聞いた、残念に思っている、父が事業に失敗して生活が苦しい……。うじうじと長文を書き、締めくくりは気弱に「雑誌と同等の翻訳料金をください」。1行にまとめると、原稿用紙1枚当たり200ウォンのアップを要求する手紙だった。

結果は？　即座に断られた。一大決心して抜いた刀をそのまま鞘《さや》に納めるのはばつが悪くて、結局、A出版社の仕事を辞めることになった。賃上げをしてくれないから辞めたわけではない。お金の話というのはもともと、いい形で決着がつかなければ一緒に働くのが気まずくなるものだ。〝切られた〟という表現のほうが正しいかもしれない。

今でもときどき当時のことを思い出す。劣悪な労働条件だったが、ずっとあそこで仕事を続けていたとしたら、私の人生はどうなっていただろう？　今よりよくなっていたのだろうか、悪くなっていたのだろうか？

私が成功したかどうかはともかく、振り返るたびに本当に恥ずかしくなる思い出だ。若気の至りで「1500ウォンももらって売ったくせに、私には600ウォンしかくれないなんて！」と思ったが、それは出版社間の問題であって、はじめから600ウォンで仕事をすると口頭契約をした私には関係ない。さらりと「翻訳料金をもう少し上げていただけないでしょうか？」とお願いするだけにしておけば、お互いにとってよかったのに。それも、眠れない夜に手紙を書くんじゃなくて、会ったときに笑顔で言えばよかった。ちょうど家庭が困窮していて、一家の大黒柱の役目を果たさなくてはならない時期だったとはいえ、湿っぽいプライベートの話までするべきじゃなかったのに……。聞かされた相手にとってどれほど重かっただろうか。

せっかくなので、翻訳の仕事をする後進のみなさんにこの言葉をぜひお伝えしておきたい。翻訳料金のアップを要求するときは、くだくだとプライベートな事情を語るのではなく、実力をつけてから堂々と要点のみを簡潔に述べるようにしましょうね。

# 忘れられない、初めての翻訳書

今では本棚にも残っていない私の初めての翻訳書は、1993年7月に出版された。私の翻訳原稿を1500ウォンで買ったと情報提供(?)してくれたB出版社に、ニート生活中に翻訳した星新一の『おせっかいな神々』を紹介したところ、独特なスタイルがおもしろいからか、すぐに出版すると言われた。星新一の小説はショートショートと呼ばれるとても短いミステリーで、誰が読んでも楽しめる奇妙な物語だ。この頃は星新一を知る人もずいぶん増えたが、当時はまだ韓国で翻訳出版された作品がなく、その小説のジャンルも馴染みのないものだった。

私の名前を掲げた初の翻訳書は、こんなふうに拍子抜けするほど簡単に出版された。自分で提案した本だったから、図らずも出版企画まで手がけたことになる。企画と翻訳をした作品ということで、はたして今回はいくらぐらいギャラをもらえるのかなと期待が高まった。「期待ってどういうこと? 翻訳料金って、出版前に決めておくものじゃないの?」と思った方もいるだろう。無理もない。しかし実際の私は、本が出版されて入金されるまで、翻訳料金がいくらなのかすら知らずにいた。今でもたいして変わっていないが、当時は本当にお金の話が苦手だった。「神聖な本の前で、お金の話をするなんて」と思っていた。私はただ単に無知だっただけだが、契約書の〝け〟の字も出さず、翻訳料金の打ち合わせもなしに仕事を進めた出版社はいったいどういうつもりだったのか。なんて、今さらぼやいたってしょうがないけど……。

いよいよ翻訳料金が入金された。出版企画まで手がけた待望のギャラは……原稿用紙一枚当たり800ウォン！ 前出のとおり、雑誌の翻訳アルバイトのときにもらった額だ。編集主幹は大盤振る舞いとばかりに「A出版社では600ウォンだったとのことなので、うちではもう少し色をつけておきましたよ」と言った。心底くやしかったが、何も言えなかった26歳のピュアでまぬけなお嬢さん。1960年代ならまだしも、1990年代の初期にどうしてあそこまで世間知らずだったのだろう。仕事を始めるときは契約書を交わすべきだと知っていれば苦労しなかっただろうなと思うが、スタートが口約束のどんぶり勘定だったせいで、私はそれから数年経つまで契約書というものを知らなかった。もっとも当時は、契約書を交わす出版社が多いわけではなかったが。

初恋が永遠に心に刻まれるのと同じように、初めて自分の名前で出た翻訳書だから、喜びも悲しみも感謝もくやしさも昨日のことのように鮮やかに思い出される。忘れもしない、初の訳書の翻訳料金84万ウォン。その後の本はいくらもらって翻訳したのか、どんな編集者と出会ったのか、そのときどんな気持ちだったのか、さっぱり思い出せない。

おもしろいのは、『おせっかいな神々』が星新一ファンの間で〝レジェンド〟になっているということだ。私の手元にも残っていないので、古本を入手できないかと検索してみたら、「古本屋で『おせっかいな神々』を見つけました。キャーッ」というような書き込みが目についた。

当時も反応がよかったようで、すぐに星新一第2弾を出そうと出版社から提案された。そこで出版された本が『あの子の箱』［『おせっかいな神々』『未来いそっぷ』『妄想銀行』などに収録された作品を精選した短編集］だ。「グァンスの考え」［1997－2002年に漫画家パク・グァンスが朝鮮日報に連載した漫画］が大流行していた時期に、パク・グァンスさんのイラストが入ったこの本はなかなかキャッチーな装いで世に出た。残念ながらこの本も手元になく、古本を探してみたら、やっぱり希少本になっていた。

# 企画のネタを探しに日本へ

翻訳の仕事を始めた。知っている出版社は地球上でわずか2社。そのうちの1社とは取引がなくなったから、頼みの綱は残り1社だけだ。とはいえ社員4、5人の小さな出版社で、日本書籍は1年に数冊出るか出ないか、おまけにその数冊を私に任せてもらえる保証もない。再びニートに逆戻りしたも同然だったが、私はこれが天職だと確信していたので、もう就職活動をするつもりはなかった。

さあ、これからは翻訳で食べていくぞ。そう決めたはいいが、仕事をくれる出版社もないし、所有している本の中にもう出版できそうな作品はない。どこかの出版社が私の生息地に仕事を投げてくれる可能性は皆無だ。柿の木の下で口を開けて横になっていれば、運よく一つぐらいは実が落ちてくるかもしれないが、周囲には木陰すら見当たらない。

当時の私の状況を簡単にご説明しよう。それまでずっと銭湯を経営してきた父が詐欺に遭って全財産を失ったせいで、家庭内の雰囲気はもちろん、経済状況はかなり深刻だった。兄弟はみな結婚し、私だけが残った家の中はいつもため息混じりの空気でいっぱい。おまけに父はものすごく小言が多くて独善的なので、24時間ずっと一緒にいるのがつらかった。結婚でも何でもして一刻も早くこの家を抜け出したいと思っていたが、現実は厳しかった。結婚する相手もいなければ、独立資金もなく、仕事もないし……。

それでも、他人名義にしろ自分名義にしろ数冊の翻訳を経験したからか、もう少し積極的に取り組めば道は開けるだろうという根拠なき自信があった。どのみち私に翻訳を任せてくれる出版社はないのだから、自分で企画書を作って出版社に送ってみよう。頭の中にさまざまなアイデアが浮かび上がった。恋愛をテーマにしたエッセイ集みたいな本を日本で買ってきて、いい文章を選んで1冊にまとめてみるのはどうだろう？　20代女性の感性で精選した甘い恋愛エッセイ。ウケるんじゃないだろうか？　こんなアイデアを思いついた翌日、日本入国ビザの申請に行った。そして、両親に旅費をせびった。

「本を1冊翻訳するだけでも、日本に行く経費をまかなえるんだよ。いっぱい本を買ってきて全部翻訳したら、ものすごくお金を稼げるでしょ？　そしたらお母さんとお父さんに半分あげるから、しばらくお金を貸してください。日本で本を買ってきたいの」

この世代の方々の多くがそうであるように、両親は小学校すらまともに通っていない。こうした学問的な（?）話にはすぐに騙される。私の口車に乗った倹約家の両親は、家計が苦しい状況にもかかわらず、すぐに旅費を貸してくれた。まずはビザを受け取って、何日か大型書店に通い、韓国内でどんな本が反響を呼んでいるのかを調査した。ベストセラーランキングを見ればひと目でわかるけれど、それ以外にも売れている本の傾向を調べる必要があった。大まかに状況が把握できたところで、東京へと発った。

東京に着いてからは紀伊國屋書店で同じ調査をした。どんな本が売れているのか、どんなおもしろい本があるのか、韓国の出版社が気に入りそうな本にはどんなものがあるか、どんな作家が有名なのか……。当時は文芸翻訳だけをやろうと思っていたわけではなかったから（選べる立場でもなかったし）、目を引いて購買意欲をかきたてられる自己啓発書を重点的にチェックした。こうして3日間、紀伊國屋書店に通い詰め、十数冊の本を買った。

続いて、神田古書店街に行った。恋愛をテーマとしたエッセイ集探し。日本にはこういう本が実に多い。至るところにあふれ返っていた。文庫本が1冊100円、ものによっては2冊で100円。たくさん買った。自己啓発書と小説も何冊か買い、我ながら手際よく賢いショッピングができたな……と思った。

そうそう、東京では本を買ってきただけではない。結婚相手も1人見つけた。

ひよわな体で（当時は体重42キロだった）大荷物をかついで韓国に戻ってくるやいなや、買ってきた本を昼も夜も読みまくった。あぁ、それにしても……自己啓発書ってやつはタイトルと目次、前半の数項目だけがご立派で、ページが進むにつれて同じことの繰り返し、どうでもいい内容で埋め尽くされているのねぇ。小説はなかなかおもしろいから合格。ところで、江國香織の小説は韓国でもウケるかな？　吉本ばななの小説はどうだろう？　２人とも、韓国ではまだ知られていない作家だけど……。東野圭吾や島田雅彦の作品も数冊買ってきた。日本では有名だけど、韓国ではどうかしら。渡辺淳一もミリオンセラー作家ではあるけれど、韓国の読者の好みに合うかどうかわからない。『失楽園』が出る前で、韓国での知名度はまだ低かった。

　自己啓発書は１冊を除いてすべてイマイチだったので、よさそうに思えた数冊の小説だけレジュメを書いて、複数の出版社に送った。すると、こんな反応が返ってきた。「名前がバナナ？　トマトじゃなくて？　エクニカオリって？　アッサガオリ？［韓国語で「やった〜！」の意］　どうしてこんな内容なの？　こんな小説を誰が読むっていうんですか」。韓国での人気が検証されていない日本の作家の作品を出版しようとする編集者はいなかった。

　このときレジュメを送った本は、江國香織の『きらきらひかる』、吉本ばななの『Ｎ・Ｐ』と『哀しい予感』だ。ご存じのとおり、日本文学好きにとってはかなり人気の高い作品で、２人の活躍はもはや説明不要だ。２００２年に韓国で翻訳出版された『きらきらひかる』を１９９３年に早くも提案していた私は、翻訳界の李箱《イサン》［１９１０－１９３７年　前衛性の高さで知られる朝鮮の詩人、小説家］だったのだろうか。一緒に提案した他の作家の本も、同様の理由で却下された。

　どれもこれも失敗に終わった私にとって最後の砦は、恋愛エッセイ集からそれらしい文章を選んで、１冊の本にまとめること。数編のエッセイをサンプルとして翻訳し、出版社に送った。恋愛もののエッセイ集をたくさん出している出版社を書店で調べ、そのうちの１社を選んだのだ。サンプル原稿を読んだ出版社から、すぐに出版したいので契約締結のために来社してほしいと言われた。翻訳料金はいくらだったのか、企画料はもらったのか、ちっとも思い出せないが、編集者がいきなり「大学しか出てないんですか？　私は大学院まで出ましたけど」と言ったことは覚えている。

この文章を書くために十数年ぶりに本を引っ張り出してきて当時のプロフィールを見たら、訳書が4冊の頃だった。4冊しか訳していないのに〝クォン・ナミ編〟の本を出すなんて、無知だからこそ勇敢だったらしい。タイトルは『別れてから恋しくなる女より、いま愛される女でいたい』。本文中に出てくる一文だ（出版社はなぜこんなタイトルをつけるのだろう）。本はざっとこんな内容だ。

---

桜は儚く散るから、人々を立ち止まらせます。虹は一瞬で消えるから、人々の心を奪います。愛は、別れがあるからこそ美しいのです。いい別れをしましょう。「あのとき、あの人と別れてよかった」「別れたからこそ今の私がいる」と思える別れを。別れは愛の破局ではありますが、人生の破局ではありません。

---

あるいは

女にとって、結婚はアドバルーンを飛ばすようなものだ。
朝は適度に男を飛ばして、
夜になれば洗濯物と一緒に彼を取り込む。
ここで難しいのは、夫を飛ばすことだ。
あまり遠くに飛ばしすぎるとよそ見をするし、
あまり近くに置きすぎると不満が募るから。
男にとって、結婚は女の重さに耐えることだ。
それは同時に、地球の重力に耐えることでもある。

今となっては書き写すだけでも恥ずかしいが、20代の頃はこういう文章がいいものに見えたらしい。ところどころためになる部分もあるけれど、全体的にこっぱずかしい内容だ。本の表紙は60年代テイストだし、翻訳もぎこちなくて読みにくいし……。総体的難局［すべてがめちゃくちゃな状態を表す言葉で、韓国では頻繁に使われる］って、こんなときに使うべき表現なのかも。

ところが、この恥ずかしい本は数年後にタイトルとカバーをがらりと変えて、再び書店に並べられた。出版社からは何の連絡もなかった。新刊コーナーで自分の名前を見つけて、「あれ？こんなタイトルの本を翻訳した覚えはないんだけど」とパラパラめくってみたら、この本だった。

十数冊買ってきた本の中からたった1冊しか作れなかったが、こんなふうに翻訳出版の企画を始めた。経験のある人はご存じだろう。本を1冊出すのは簡単ではないということを。これを機に、毎年東京に行って本をたくさん買ってくるようになったが、元が取れる本はいつも1、2冊しかなかった。本を選ぶ見識が浅かったこともあるが、今思えば、1社に断られると「あんまりいい本じゃないのかも」と意気消沈してしまい、他の会社に提案するのを躊躇《ちゅうちょ》したせいというのが大きかった。出版社によってカラーが違うのに、その点を考慮できていなかった。なにせ小心者で恥ずかしがり屋な性格だから、見知らぬ出版社に電話をかけ、自己紹介をして作品のプレゼンテーションをするのがしんどかった。そのせいで、企画をたくさんの会社に持ち込めなかった。企画書を出すことがなくなってずいぶん経つが、今やれと言われても、きっと知らない出版社にうまく電話をかけることはできないと思う。付き合いのある出版社に電話するときですら、数日前から深呼吸をして、心の準備を整えないといけないほどの小心者だから……。

　企画の話をしていたというのに唐突だが、人生はまさしくよくできたドラマや映画のようだ。誰の人生であっても。そしてその人生が成功していようとなかろうと。なぜこんなにもあちこちに絶妙な伏線が張られ、ハプニングが仕掛けられていて、喜怒哀楽が仕込まれているのだろう。人生の中で出会うべき人物が適材適所に配置され、最高のタイミングで登場する。これ以上につじつまの合う完璧なシナリオはないはずだ。誰に予想できただろう？　ある日突然アイデアが浮かんで本を買いに行った東京で、運命の人と出会うことになるなんて。しかも、その半年後に結婚し、日本で新婚生活を送ることになるなんて。

# いっそ私が書こう

結婚は運命だと思う。もっとも私は、道を歩いていて転んでも運命だと考えてしまうような人間ではあるが。運命のその人と出会ったとき、火花が散ったような衝撃を受けたり、全身に電流が走ったりはしなかった。この人と結婚するかもしれないという予感すらなかった。それでも結婚した。2人ともどこに跳ねるかわからないボールのようなB型で、考え方が独特だったせいもあるが、彼は異国での一人暮らしに寂しさを感じていて、私は実家を抜け出したかったというタイミングが決め手となったようだ。私はソウルにいて、彼は日本に職場があった。電話とファックスと国際郵便でコミュニケーションを取り、東京で出会ってから半年後に結婚式を挙げた。

私を知るすべての人々を驚かせた電撃的な結婚式の翌日、生活の基盤はすぐ東京の三鷹に移った。ここで新婚生活が始まった。家から徒歩2分の距離に三鷹市立図書館があり、一つ隣の駅はかの有名な吉祥寺だ。吉祥寺には大型書店があって、古本屋も多い。心ゆくまで本を読み、企画を立てるのにぴったりの環境だった。嫁入り道具兼、引っ越し荷物として持っていったのは、風呂敷包みのふとん一式と新しいパソコンだけ。かなりお手軽に結婚したケースと言えるだろう［韓国では結婚に際して新郎側が住居を用意し、新婦側が家具や家電、寝具一式を買いそろえる風習がある］。

　新妻になった私は、ほぼ一日中図書館で本を読むという優雅な日々を過ごした。当時読んでいた本は読書用ではなく、企画用だった。お金持ちの奥様になったわけじゃないし、体は海を渡ってきたけれど、心はいつも生活に困窮する実家の心配ばかり。一刻も早く仕事を始めて、両親を助けたかった。

　しかし、いくら日本の書籍に囲まれているとはいっても、翻訳出版できそうな本はなかなか見つからなかった。気持ちは焦っていたが、ようやく4、5冊の本を出したばかりの新人翻訳家。出版に関する勘があるはずもない。はじめは〝企画のネタ〟を見つけようと血眼になって本を読んでいたが、それもしだいにただの〝読書〟になっていった。1日や2日ではなく、毎日、日本語の活字に埋もれていると、どんな本が韓国の出版市場で注目されるのか、判断力も落ちてくる。大量の本を読んでいるうちに、読むということにうんざりしてきた。日本で暮らしていれば翻訳出版できそうな本ぐらいすぐに見つかるだろうと思っていたが、前述のように江國香織も吉本ばななも通用しない出版市場に受け入れられる本なんてあるのだろうか。どんどん自信がなくなっていく。とはいえ、ひたすら図書館に通って遊んでばかりいるわけにもいかなかった。私の遊びは遊びではなかったけれど。

　そこで、また『別れてから恋しくなる女より、いま愛される女でいたい』のようなコンセプトの本を企画しようと決め、古本屋で恋愛エッセイの文庫本を20冊ほど買って、いい文章を選んだ。とりあえず何編か翻訳して出版社に送ったところ、すぐにOKが出た。やっぱりみんな、こういうふんわりした本が好きなのね。こんな作業なら朝飯前、お茶の子さいさい……と思いきや、お金を稼ぐというのはそんなに甘いことではなかった。いざ本格的に着手して、エッセイ集をすべて読んでみたところ、使えそうな内容がほとんどないのである。日本の本はどうしてこんなに釣りタイトルが多いの？　最初から最後まで興味をそそられる目次とは違って、本文は3分の1ぐらい読めば十分、その後はお粗末きわまりない。20冊近い本から集めた文章が1冊分にも満たないなんて。結局、こんな結論に至った。

「そうだ、いっそ自分で書こう」

こうして、原稿の約3分の1を自分で書いた本『なぜ私よりイケてない女がいい男と結婚するのか』が出版されることになる。タイトルは、自分よりダメ女だと思っていた友達がものすごくいい男と結婚したという実体験をもとにした。自分よりイケてないと思っていた友達がいい男と結婚したとき、その子には何か決定的な魅力があるのではないか、という内容だ。つぎはぎして作った本なので、つながりがなめらかではなく、翻訳も上出来というわけではなかったが、意外と好評で5刷まで行った。どこかの女性団体の推薦図書に選ばれたりもした。翻訳料金として原稿料を算出した買い切り契約だったから、大きな収入にはならなかったけれど。

ひょっとしたら、これを読んで「私もつぎはぎ本を企画してみよう！」と思った人がいるかもしれない。今は勝手にこんなことをすると、著作権侵害で逮捕されます。

当時の時代背景（?）を簡単にご説明すると、田麗玉《チョンヨオク》の『悲しい日本人』［原題『日本はない』。現・政治家の田麗玉がKBS東京特派員時代に書いた辛口エッセイ］が長期間にわたってベストセラーランキング1位をキープしている時期だった。

内容についての評価は胸の内にとどめておくが、この本を読んで「私も日本生活の話を書いてみようかな?」と思った。脳からは毎日突拍子もないアイデアが泉のように湧いてきたが、ぐうたらな体がまったく協力してくれないせいで、翻訳企画は遅々として進まなかった。結婚2カ月目に妊娠して、体が疲れやすかったというのもぐうたらになった理由の一つだ。

それでも、出産後は働くのが難しくなるだろうから今のうちに何かやっておかなければと思い、『東京新婚日記』という本を企画した。数編書いて出版社に送ったところ、またしても即OK。私も企画段階の数編で釣りをするタイプらしい。

出版社は残りの原稿を受け取ってから、契約したことを後悔したに違いない。編集担当者は友人の夫だった。妻の友人だから文句も言えないし、つまらない原稿を本にするのに苦労したことだろう。そう思ったのは、出版から10年以上経ってからだ。当時は、自分が書いた本が世に出たということにただ浮かれていた。姑は同じ寺に通う仏教徒たちにはりきって宣伝をして数十冊売ってくれたが、最近その本を読んでみたら、食うや食わずの貧しい新婚生活と全身がむずむずしそうな鳥肌モノのエピソードばかりだった。息子は日本でいい暮らしをしていると周りに自慢していただろうから、姑もきっと恥ずかしかったに違いない。本を制作した人、買った人、読んだ人すべてに申し訳ない本だ。出版界に新風を吹き込んだ資金力のある出版社だったので、積極的に新聞広告も打ってくれたが、それほど印税が入ってこなかったところを見ると、売り上げはよくなかったらしい。そして、この出版社は数年後に廃業した。私だけのせいではないだろうけれど、粗悪な原稿がその一因となったような気がして、思い出すたびに申し訳なくなる。

## 初めてのベストセラー誕生

3年間の日本生活を終え、3人家族になってソウルに戻った。靜河が1歳4カ月のときだ。出産後はほとんど仕事をしていなかった。

ソウルに戻ると、再び翻訳本の企画に取り組みはじめた。日本にいるときに知った月刊誌『ダ・ヴィンチ』を定期購読して情報を入手し、よさそうな本があれば現地の知人を通して購入した。そして、レジュメを作成して出版社に送った。そんななかで見つけた1冊の本！　私がそれまでに翻訳した本の中でおそらく最もよく売れて、初めてたくさんの記事が出た本だと思う。

在日韓国人の小説家、柳美里の『窓のある書店から』というエッセイ集だ。私は柳美里という作家を日本在住時に初めて知った。当時書いた訳者あとがきをご紹介しよう。

柳美里。2、3年前に、朝日新聞で彼女の本の広告を初めて目にした。それは、育児に疲れて文学への関心を忘れていた私にとって大きな衝撃だった。在日韓国人でありながら、若くして朝日新聞社から小説を出版したなんて、どんな人なんだろう？

新聞に掲載された彼女の人生は、波乱万丈に見えた。在日韓国人の両親は早くに離婚し、母親は他の男と所帯を構え、妹はポルノ女優、本人は数度の家出と自殺未遂、そして高校中退……。

痛ましい過去を持つ柳美里のことがしばらく頭から離れなかったが、我が子にお乳を飲ませておむつを替えるのに忙しかった私は、作品を読めないまま帰国することになった。ところが先日、新聞で再び柳美里の名前を発見し、初めて見たとき以上の衝撃を受けた。彼女が芥川賞を受賞したという。

——柳美里『窓のある書店から』（ムダンミディオ、1997）

日本では柳美里の本を読むことができなかった。しかし、柳美里はまもなく話題の作家になるだろうと直感した。『ダ・ヴィンチ』で柳美里の新刊案内を目にするやいなや、知人に本の購入を依頼した。その少し後、彼女が芥川賞を受賞したことがニュースになった。私は直ちに出版社にレジュメを送り、出版社はすぐに食いついた。しかし、この頃に著作権法が整備され、韓国語翻訳版を出版するには原書の版元と翻訳出版契約を結ぶ必要があった。私は出版社からの依頼を受けて日本の版元に手紙を送り、担当者に電話をかけて版権を取得したいとお願いした。

結果的に本は出版され、柳美里が訪韓した。いや、柳美里の訪韓時期に合わせて翻訳作業を急ぎ、本を作った。手元にある本を見ると、1刷4月10日、3刷4月20日となっている。発行から10日で3刷まで行くなんて！　いよいよ、私の翻訳人生に曙光がさしはじめたのだ。編集者は格安の契約金で版権を取得してベストセラーを生み出した、と新聞でも何度か紹介された。翻訳料金でさえ150万ウォンしかかかっていないから、かなり儲かる商売だったようだ。

やはり訳者は手がけた作品が売れてこそ、一緒に浮上することができる。どんなに翻訳の出来がよくても、その本が書店に置かれたとたんに消えてしまったら、名前を知ってもらう機会すらない。訳者の名前まで覚えている読者はそれほど多くない。でも、売れた本のタイトルを挙げて「その本を翻訳した者です」と言えば、すぐに「あぁ〜！」という反応が返ってくる。『窓のある書店から』はベストセラーを記録したが、人々の記憶に長く残る本にはならなかった。しかし、この本がきっかけとなって翻訳人生がしだいに開けていったのはたしかだ。その後は、これまで付き合いのなかった出版社からもオファーが入ってくるようになった。

自分で企画を持ち込んだ作品の中で大きく注目を浴びたのは、この4カ月後に出た村上龍の小説だった。タイトルも独特な『ゴッホがなぜ耳を切ったか、わかるかい』（原題は『エクスタシー』）。いろいろな意味で、実にありがたい本だ。初めて出版社から出張費が支給され、日本で買ってきた本の中の1冊だった。そのとき、私は村上龍の本をどっさり買ってきた。韓国で出版されている村上龍の作品はまだ『ＫＹＯＫＯ』と『限りなく透明に近いブルー』ぐらいだったから、翻訳権が取得されていない本がどれだけ多かったことか。しかし、出張費を出してくれた出版社が興味を示したのは、『ゴッホがなぜ耳を切ったたか、わかるかい』だけだった。もともとこの出版社が求めていたのは、大衆的でわかりやすい本だったから、村上龍にはあまり関心を見せなかった。

ともかく版権を取得することにして、日本の版元に問い合わせをしたところ、韓国で村上龍を担当するエージェンシーを教えてくれた。それがブックポストエージェンシーだ。ブックポストエージェンシーを知ったのは、本当に大きな幸運だった。室長のパク・ジュンヨン氏は、翻訳者を推薦してほしいという出版社があると、たびたび私を紹介してくれた。そのおかげで数々の良作にめぐり合い、しだいに安定した翻訳ライフを送れるようになった。

『ゴッホがなぜ耳を切ったたか、わかるかい』によって、村上龍の人気が徐々に高まった。続いて、『オーディション』も出版された。しかし、一緒に買ってきた彼の他の本は、日の目を見ることがなかった。あちこちにレジュメを送ったが、SMやドラッグ、セックスを描いた彼の小説は受け入れられなかった。ところが、その翌年から村上龍の人気が急上昇し、彼が書いた小説という小説すべてが出版された。私って、やっぱり翻訳界の李箱なのかもしれない。

## 翻訳家になりたい、ですって？

除隊を控えたベテラン兵長から、進路相談のメールが届いた。大学での専攻はまったく異分野だが、除隊したら大学院で日本語を学んで翻訳の仕事をしたいという内容だった。丁重に返信した。

「他の仕事を探してみるのはいかがでしょうか？」

申し訳ないけれど、私は「翻訳の仕事がしたいです」というメールをもらったら、10人中9人には否定的な返事を送る。肯定的なメールを返すのは、夢多き青少年の場合のみ。青少年は夢が多ければ多いほどいい。その時期に夢を持っているというだけでも称賛に値する。そんな青少年たちには、「頑張って勉強すれば、きっとなれますよ。ぜひ本をたくさん読んで、たくさん書いてください」と激励のメッセージを送る。ある人にこのことを話したら、無責任すぎるのではないかと叱られた。「自分の子どもにも同じことが言えますか⁉」と。もちろんだ。かつて娘が翻訳家になりたいと言ったとき、私はすごくいい夢だねと褒めた。

翻訳の仕事をしたいという成人を止めるのには理由がある。他人に職業は〝翻訳家〟だと言うときは誇らしい気持ちになるし、それなりに聞こえもいい。ただし、他の部分はともかく、収入面に関してはそこまで魅力的ではない。だから私は、これから社会に出ようとしている人が翻訳家になりたいと言ったときは、普通に就職したほうがいいと勧める。大学を卒業した人々が年収1千万ウォンで満足できるだろうか？　1千万ウォンすら稼げない恐れもあるし、優れた実力を持つ幾人かを除けば、何年も年収2千万ウォン以下をさまようかもしれない。私は最近でも大企業の新入社員の年俸を耳にするたびに、この業界で20年近く働いている自分とさほど金額が変わらないことに苦笑してしまう。しかも私は、退勤も休日も休暇もなく働いているのだ。この状況で、愛する韓国の若者たちに「ウェルカム・トゥ・翻訳ワールド！」なんて叫べるだろうか。

特に、家族を養う責任がある人は絶対やめておいたほうがいい。就職して、たっぷり貯金をして、何年か小遣い稼ぎでもできればいいというぐらいの経済状況になったら、社会経験を積んで知識も豊富になった（夢を捨てずに翻訳の勉強を続けていたとしたら）そのときに、楽しむ気持ちで定年退職のない翻訳ワールドに入門することをおすすめする。

冒頭のベテラン兵長さんもそうだが、翻訳の仕事がしたいという人からの相談メールを見ていると、翻訳に対する考えがずいぶん安易で単純だ。英語の本さえ読めれば、誰でも翻訳ができると思っている。翻訳で食べていこうと決心するだけで、仕事がビュッフェのように用意されると思っている。毎月1冊はサササッと翻訳できると思っているし、最低でも月に300～400万ウォンぐらいは稼げると思っている。おまけに、翻訳は時間があるときにやればいいから他の仕事をしながら副業としてやっていけると思っている。

英語の解釈が得意でも、母語の実力がなければ翻訳はできない。翻訳をやりたいと思っていても、仕事はあまりない。うまい人に任せようという会社が多いから、新人にまで仕事が回ることはほとんどない。あっても翻訳料金が安すぎて、生きていくのが大変だ。毎月1冊ずつスピーディーに翻訳できるようになるまでには長年のトレーニングが必要だし、仕事が一年中ずっと入ってくればいいけれど、優れた実力者でなければ翻訳を始めてから10年経ってもそうなるのは難しいかもしれない。

副業で翻訳をやりたいだなんて……。翻訳の仕事をしている人々は、時間をとても惜しむ。食事の時間、睡眠時間、友達と会う時間、趣味の時間。他の人々と同じように時間を使っていたら、締切に間に合わせることができない。締切を無視してぶらぶら遊びながら働いていたら、生活が成り立たなくなる。翻訳家には引きこもりタイプが多い。そうなりたくてなるのではなく、そうなるしかないというのが現実だ。1カ月間必死で働いて、ようやく日常生活を維持する費用を稼ぐことができる。扶養家族が増えれば増えるほど、労働量は増していく。

こんな現実も知らずに（知らなくて当然だけど）、「たいして難しくもないその翻訳とやら、私もちょっとやってみましょうかね」というノリのメールが届いたときは、翻訳の世界はそんなに甘くないぞと厳しいことを言いたくなる。でも、最近の世の中は恐ろしい。下手に否定的なことを言ったら、ネット上のどこかにクォンなんとかという翻訳家を罵るコメントがアップされるかもしれない。「説教してくるなんて、いったい何様のつもり？　そんなに稼げない仕事なら、どうして自分は続けてるんだよ！」とか。そう、私もネット上のバッシングと書評を恐れる小心者なのだ。

　ときどき、こんなメールを送ってくる人もいる。

「あなたが翻訳の仕事を始めることになったいきさつと、出版社・翻訳会社の翻訳料金の違い、仕事を受注する方法について、納得できるようにくわしく説明してください」

　心の中では、なんで私がおたくを納得させなきゃいけないのよ？　どうして私の過去を説明しなきゃいけないわけ？　とギュッと拳を握っている。でも、現実は「なんだかんだで翻訳を生業にすることになりました。料金に関しては営業秘密です。ご理解ください。アハハ」と当たり障りのない返事を送る。

　別の仕事を勧める私の返信に対して、ベテラン兵長さんは「やるなと言われるとなおさらやりたくなる」と再びメールを送ってきた。今度はにこやかな顔文字つきの返事を送った。

「そこまでの情熱があるなら、どんな仕事でもできるはずです。がんばって必ず夢を叶えてくださいね^^」

　1970年代のセマウル運動［「勤勉」「自助」「協同」を基本精神とし、農漁村地域を中心に展開された開発運動］っぽいコメントではあるが、お望みの答えがこれならば、そのひとことを言ってさしあげましょう。

## コラム 翻訳家を目指す人のためのQ&A

### 翻訳家になるにはどの学科に進むべき？

どの学科でもかまわない。「〇〇学科の出身者のみ可」といった資格制限はない。専攻だけでなく、性別も年齢も不問だ。生物学科や数学科出身で日本小説を翻訳している後輩もいるから、外国語とまったく関連のない学科を出ていたとしてもくじけないで。外国語と国語さえ得意ならバッチリだ。ただし、あなたが翻訳家を夢見る〝青少年〟なら、訳したい外国語を専攻しておけば、より役に立つのではないかと思う。

### 外国語さえ得意なら翻訳はできる？

文章力の基礎が身についていなければ、TOEIC・TOEFL・JPT・JLPT［日本語能力試験］のハイスコアや翻訳スクールで取得した資格証をアピールしても意味がない。語学力は高いのに自動翻訳機にかけたような訳文を書く人が多すぎる。原文を読解することはできても、他者に伝達する力が足りないのだ。それにもかかわらず、自分は翻訳がうまいと勘違いしている人も少なくない。

参入障壁が低いからといって翻訳業界にむやみに足を踏み入れるのではなく、まずは自分の性格と能力を把握したほうがいい。読書は好きか、書くことは得意なのか、同じ場所にじっと座って根気よく仕事を続けられるか、一日中誰にも会えず一言も口をきかずに過ごすことに耐えられるか、一週間ずっと外出しなくても苦にならないか、編集者や出版関係者と円満に付き合える社交性を持っているか、自ら壁を作って他の人を遠ざけていないか、などを振り返ってみよう。

## 留学したほうがいい？

したほうがいいのでは？ 外国の文化に慣れ親しんで、より多くの言葉を学べば翻訳に役立つというのは、誰もが知っていること。でも、「絶対に留学すべきですか？」と聞かれたとしたら、「いいえ！」と答える。ウォン安の時代にわざわざ、翻訳家になりたいから留学させてくれと親御さんにせがむことがありませんように。現役翻訳家のうち、留学経験者がどれぐらいの割合になるのかわからないが、私の周りには留学したことがなくても旺盛に活動している人のほうが多い。海外ドラマや映画をたくさん観れば、間接的ではあるにせよ、その国の文化に触れられるし、若者世代のスラングを知ることもできる。本気で学問に志を抱いているなら留学することも勧めたいが、ただ単に韓国では就職先もないし何もできないから留学して翻訳でもやってみよう、と思っているのなら止めたい。お金があり余っているのであればおすすめする。

## 資格は必要？

翻訳者資格証というものがあるらしいが、目にしたことはない。おそらく、活躍中の現役翻訳家のうち、そんな資格を持っている人はほとんどいないと思う。では、私たちは無資格の翻訳家なのか？ そうではない。翻訳者資格は国家公認資格ではないから何の意味もない。「○級になったら仕事を発注するから資格を取れ」という翻訳会社があるらしいが、きっと自社で翻訳講座を開いているのだろう。インターネットで翻訳者資格を検索してみると、おもしろい事実が見つかる。資格が必要だと主張しているのは90％以上が翻訳会社やスクールの関係者の記事で、必要ないと書いているのは主に現役翻訳家だ。技術翻訳は私の専門分野ではないから何とも言えないが、明らかなのは資格を要求する出版社はないということ。少なくとも、出版翻訳において資格はまったく必要ない。

## 翻訳スクールってどんなところ？

「年齢、性別を問わず、誰にでも身につけられる一生モノの技術（うちのスクールに通えば）。副業でもＯＫ、在宅で高収入を得られる（うちのスクールを卒業すれば）。少し勉強するだけで、あなたも翻訳家になれる」

こんな広告に釣られて、翻訳スクールに通う人がいるようだ。翻訳家になるために翻訳スクールに通うのは悪いことではない。夢を実現する方法の一つだ。でも、本当に翻訳というものをわかっているスクールなら、「誰にでもできる」というような広告は控えていただけたらと思う。

日本のある翻訳家がこんなことを書いていた。

「翻訳を習うなら、一流に学べ。三流に学べば、あなたは三流翻訳家にしかなれない」

どんな分野でもそうだが、いい先生のもとできちんと学べば、きちんとした基礎が身につく。せっかくスクールに通うなら、どんな講師が教えているのか、世間の評判をリサーチしてから選んでほしい。あ、誰にでもできるなんて翻訳家を見下しやがって、と気分を害して言っているわけではない。決して。広告の文句に惑わされて、自分に合った道ではないのに歩もうとする若者が心配なだけだ。

## どんな本を読むべき？

どんな本でもいい。漫画でも何でも。もしかしたら漫画を翻訳することになるかもしれないし。

ただし、誤字脱字だらけのハイティーンロマンスや武侠小説［武士を主人公とした冒険小説。もともとは中国文学の1ジャンルだが、韓国オリジナル作品も多い］

はやめておいたほうがいい。どんなジャンルでも構わないが、いい本を読んでほしい。小説家志望者が創作を学ぶとき、小説を書き写すという話を聞いたことがあると思う。私は大学時代、主にキム・スンオク先生〔金承鈺（1941〜）韓国の小説家、脚本家〕の小説を書き写していたが、読み書きの勉強にぴったりだった。

翻訳家志望者にもぜひ書き写しを勧めたい本がある。これは私だけの意見ではなく、年収1億ウォン以上を稼ぎ出す先輩翻訳家のアドバイスだから、胸に刻む価値があると思う。

ざっと読むだけでも役立つ本だが、それは中学と高校の国語の教科書だ。中高の国語の教科書は正しい文章、正しい文法、正しい書式の宝庫だ。翻訳の必読書だと思って熟読してほしい。私もよく娘の国語の教科書を読むことがあるけれど、幅広いジャンルの文が載っていて楽しめる。

## 翻訳はどんなふうに勉強すればいい？

翻訳家を目指すほどなら、外国語はそれなりに得意だろうから（そうでないのなら、まずは外国語を勉強して）、その後はこんな方法で勉強してみよう。

**1** 前述のように、中学・高校の国語の教科書を書き写したり、読んだりしてみよう。

**2** 自分が翻訳したい分野の本をたくさん読もう。科学でも人文学でも、あなたが翻訳したい分野の専門書籍に親しもう。私は小説を専門に翻訳しているから、韓国小説の読書を楽しんでいる。翻訳の基本は何と言っても文章力と語彙力だから、どの分野の翻訳をするにしても国内小説をたくさん読んでおけば役立つことだろう。ぜひ〝良質〟の本をたくさん読んでほしい。

**3**

たくさん書いてみよう。文章は書けば書くほど上達する。肉も食べたことのある人がよく食べる［何事も経験のある人のほうがうまくやるという意味のことわざ］と言うが、文章も書いたことのある人のほうがうまく書ける。これまで書く機会があまりなかったなら、これから毎日書いてみよう。ブログやSNSなど、気軽に文章を書ける場所はたくさんある。文学賞に応募するわけではないから、肩ひじ張らずに書けばいい。その日にあったうれしかったことや腹が立ったこと、そのときの感情、本を読んだ感想など、なにげない日常生活のことを日記のように書く習慣を身につけてほしい。「誰かに見られたら恥ずかしい」と思うなら非公開設定にすればいいだけだから、余計な心配はなさらぬよう。そしてどうか、観念語や美辞麗句を乱発するカッコつけた文章にならないように気をつけて。文章が下手な人ほど、粋がった文を書こうとしてしまうものだ。

**4**

平易な外国語で書かれた原書を実際に翻訳してみよう。最初から自分の外国語力に見合ったレベルの本を選ばなくてもいい。まずは簡単な原書を素敵に訳して達成感を味わい、次のレベルの本に進もう。自分の翻訳文を誰かに読んでもらうというのもいい方法だ。原文をすべて知っている自分が読むかぎりではうまく訳せているように思えるけれど、他の人もそう言ってくれるだろうか？「わかりづらい部分があったら赤線を引いてほしい」とお願いしてみよう。もしかしたら、赤線だらけになって返ってくるかもしれない。それでも傷つかないように。その線があなたの未来につながる道になるはずだから。

5

外国語の新聞や雑誌を買って、興味を惹かれた部分をスクラップしてみよう。オリジナルの翻訳文を添えることを忘れずに。そうすれば、日々成長していく翻訳の実力をひと目で見ることができる。自分の翻訳というのは、昨日訳したものを今日読み返しただけでも気に入らない箇所が目につくものだ。スクラップするとき、初めて知った慣用句や単語を一緒に整理しておくと、実践にも役立つだろう。

6

1~5までを勉強だと考えるのではなく、生活の一部として楽しもう。私も読書は好きだが、仕事だと思って読むと、いい本であっても嫌気が差すことがある。前述した〝翻訳の勉強〟も勉強だと考えると、3日もすればうんざりしてしまうと思う。本は地下鉄で移動している最中や家でゴロゴロしているときに1、2ページでも読めたら十分、文章は時間のあるときにブログに走り書き、翻訳は1日に1行でも訳せたら上出来で、スクラップ翻訳は空いている日にまとめてやればいい……。この程度の努力もせずに、翻訳家になろうとしているわけじゃないですよね!?

## 年齢は関係ある？

最初の項目にも書いたが、翻訳の仕事は年齢不問だ。60歳になっても70歳になってもできる。その代わり、年齢に見合った経歴と名声がなくてはならない。いくら年齢不問とはいえ、かなり年配の初心者に仕事を任せるのは簡単なことではない。40歳を過ぎてから翻訳を始めて成功した人が数人いるが、もともと雑誌・出版業界などに身を置いていて、基本的な筆力と人脈があったからこそ可能だったのだろう。文章とは無関係の仕事をしていた人が、中高年になってからコネもツテもなく飛び込むのは無理がある。「40代～50代でも始められて、月収400万ウォン以上！」。出版翻訳家養成のこんな広告がまるで記事のように新聞に載ったことがある。もちろん〝絶対に〟不可能だとは言えない。しかし、100人が挑戦して2人ぐらいしか成し遂げられないかもしれないことを、誰にでもできることのように宣伝するのはあんまりだ。外国語が得意な40代～50代の人々をどれだけ期待させたことだろう。やはりいちばん理想的なのは、ほどほどに社会経験を持つ30代から始めて、60代～70代まで現役を続けること。

## 月収はいくらぐらい？

どんな職業であっても月収は千差万別だと思う。翻訳も同じだ。100万ウォンに満たない人もいれば、ごく少数だが1千万ウォンを超える人もいる。経歴によって翻訳料金も違うし、仕事がどの程度コンスタントに入ってくるのかによっても変わる。それでも一般的にはいくらぐらい？　と気になる人のために、基本的な計算をしてみよう。

印税契約を結んでいる人もいるが、韓国の翻訳家は基本的に買い切り契約が多い。ひと月にこなせる仕事量には限界があるから、翻訳料金が同レベルであれば収入に大差はない。仕事が途切れずに入ってくるという前提での話だ。まれに1カ月に原稿用紙2千枚分を訳す人もいるが、それはほぼ超人レベルと言ってよく、ベテラン翻訳家でも1カ月に1千枚前後が普通だ。毎月同じ分量を訳すわけではなく、スランプに陥ったり不測の事態が起こったりして作業量が少ないときもあれば、急ぎの仕事を引き受けて、いつもよりたくさん仕事をすることもある。そんなわけで月収は一定ではないけれど、平均額を出してみる。とりあえず私の場合は2011年基準で翻訳料金は原稿用紙1枚当たり4千ウォン〜5千ウォン。日本語翻訳ではAクラスの料金だ。1カ月の目標収入は400万ウォン。原稿用紙1千枚程度の本を1冊訳せば、目標額に達する。他のことは何もせずに仕事だけすると、1千枚を訳すことができる。月に400万ウォンもらえたら女手一つで子育てをするには十分かもしれないが、同じ業界で20年間働いている専門家の収入にしてはかなり少ない。もちろん、労働時間を増やせばもっと稼げる。働けば働くほどお金になるから。『ドラゴン桜』を訳したときは、1カ月で1250万ウォン稼いだ。過労死するかと思った。

「つまり、40代で月に400万ウォン稼げるってことね！」と思った人もいるかもしれない。20代から始めて、40代でやっと月収400万になったんですよ、ハイ。

## 翻訳会社に登録したほうがいい？

最初に翻訳の仕事を始めるとき、翻訳会社を通すというケースは少なくない。翻訳会社とは、出版社と翻訳家をつなぐ仲介業的な役割をするところだ。翻訳会社についてはネット上に情報があふれているので、簡単に翻訳ワールドに入れるというメリットがある。そのうち1社を選んで履歴書を送ると、まずは翻訳トライアルというテストが実施される。トライアルに合格すれば仕事がもらえて、それに見合った翻訳料金が支払われる。これが一般的に知られている翻訳会社の取引システムだ。こんなふうに世の中がいつも理にかなっていれば地球村は平和だが、現実はそうではないところが多い。トライアルの後で「素質はあるけれどやや実力が足りないから、我が社の翻訳講座を受けてほしい」と勧誘してくるとか（翻訳スクールが翻訳会社を兼ねていたり、翻訳会社で翻訳講座を開いている場合）、トライアルという名目でいつまでも無報酬の翻訳作業をやらせたり、労働力搾取レベルの少額しか支払わなかったり、それすら踏み倒すといった、涙なしには聞けない被害ケースがいくらでも耳に入ってくる。

インターネットで〝翻訳〟と検索すれば、翻訳会社がずらりと出てくるはずだ。リストを作って、履歴書を出したい会社があれば、まずはじっくり調べてみてほしい。いくら検索しても何の情報も出てこないなら、それはそれでちょっと疑ったほうがいい。とりあえず、悪質な翻訳会社は翻訳者の間で噂になる。翻訳関連のインターネットコミュニティに加入すれば、こうした情報が手に入る。「こんなに大きな会社なのにまさか」と思うような翻訳会社が悪徳業者として知られていることも多い。火のないところに煙は立たない。とはいえ、むやみやたらに翻訳会社を疑えという話ではない。翻訳家が才能を発揮し、翻訳会社がお金を稼ぐという現実の中で、それなりに良心的な会社を選んでほしいということだ。

すでに詐欺まがいの会社に騙されたり搾取されたりした経験があるなら、それもまたいい勉強になったと考えて、いつまでも引きずらないようにしてほしい。フリーランサーで、報酬の未払いを経験したことのない人はいないのではないだろうか。一、二度ぐらいは誰しも痛い目に遭うものだ。程度の差はあるだろうけれど、厄落としになったと思って忘れよう。一日も早く何かを成し遂げたいという欲に負けて、くれぐれもうまい話にすぐ食いつくようなミスをしないように祈る。人にも仕事にも縁というものがあるから、地道に準備を重ねて機会を待とう。

どんなきっかけにせよ、翻訳の仕事を始めたら、料金にかかわらず、任された仕事にベストを尽くすことが大切だ。クライアント、あるいは読者や観客を納得させる翻訳をしなくてはいけない。それでこそ、次の仕事が入ってくる。それでこそ、翻訳料金もアップする。翻訳会社が7に対し自分が3で分け合うというありえない料金設定では一生懸命働く気にならないかもしれない。こんな料金ならこれぐらいのレベルでいいや、と無意識に手を抜いてしまうかもしれない。

それではダメだ。その仕事が終わったら、翻訳以外の職業に就くというつもりなら別だけど。1枚の書類であれ、1冊の本であれ、最後までベストを尽くそう。そうすれば、7：3が6：4になり、5：5になって……自分の取り分がどんどん増えていくだろう（ただし、翻訳会社の手数料の相場は10～20％が一般的だ）。

## 本を翻訳したら、映像翻訳もできる？

出版翻訳歴5年目ぐらいの頃（相変わらず、仕事があまりなかった時期）、新聞で日本語の映像翻訳家を募集する広告を目にした。すぐに電話をかけた。曲がりなりにも出版翻訳歴5年だし、すんなり参入できるのではないかと思った。ところが、即座に断られた。経験者を探しているが、出版翻訳は経験に値しないという。隣の芝生が青く見えるようなものかもしれないが、ドラマや映画、アニメーションを見ながら翻訳をするのは実に楽しそうだ。Aクラスであれば、ギャラも出版翻訳よりはるかに高い。なんとか映像翻訳業界に入り込む術はないだろうかとしばらく探ってみたが、結局諦めた。同じ翻訳とはいえジャンルが違うから、どんな方法で入り込めばいいのかまったくわからなかった。紹介の紹介でケーブルテレビ局の映像翻訳をしているという人と知り合い、どんなふうに仕事を始めたのか聞いてみたら、「知人のツテで」と言っていた。あぁ、やっぱり出版翻訳も映像翻訳も近道は人脈だけなのかしら。

しかし、映像翻訳についてもう少しくわしく知ると、未練はさっぱり消えた。私は映像翻訳家としては完全に失格だった。映像翻訳には映画に関するセンスが欠かせないが、私にはそういったものが皆無だ。少なくとも300~400本は映画を観た人でなければ難しいという。ところが、私はここ10年に観た映画のタイトルをすべて覚えているほど、映画を観ていない。そして、映画字幕は21文字［最近は24文字（12字×2行）が多い］以内、ビデオ字幕は32文字［16字×2行］以内という文字数制限の中で翻訳をする。ひょっとしたら出版翻訳以上に優れた外国語力と国語力が必要とされるかもしれない。映像翻訳の発展を妨げないように、早々に諦めて正解だった。素質と能力は人それぞれだから。翻訳家を目指しているのなら、映像と出版のどちらが自分に合っているのか、一度じっくり考えてみるといいだろう。

第2章

# 夜型翻訳家の孤軍奮闘

# ちびっこマネージャー

妊娠中は毎日、三鷹市立図書館に通って本を読んでいた。胎教のためではなく、妊娠前と変わらない生活を続けていただけである。妊娠後期に入ると、胎教目的で童話の本を借りて、おなかの赤ちゃんに読み聞かせた。ついに子どもが生まれた。曹渓宗［韓国仏教の代表的宗派］の総務院長を務めた高僧が〝靜河〟という名前をつけてくれた。

靜河には、赤ちゃんの頃から特別な面があった。とにかく本が大好きだった。ベッドの枕元にはおさがりの乳児用ハングル絵本セットと日本の絵本がずらりと並んでいたが、生後8カ月ぐらいになると、目が覚めてもママを起こさずに一人で絵本をめくって遊んでいた。嘘みたいだが、本当の話だ。スヌーピーの家族や童話の主人公の名前を言うと、絵を指さすくらいのことはお茶の子さいさいだった。世の中には並外れた天才の伝説も多いのに何を大げさな、と思われるだろうが、一見ごく平凡に見える靜河がそんな特技を持っていることが不思議だった。

ハングルもひらがなも4歳の頃に覚えたが、自然に2カ国語を身につけられるように、父親は靜河が赤ちゃんの頃からひたすら日本語で話しかけていた。だから、靜河も私のことは「オンマ［お母さん］」と呼び、父親のことは「パパ」と呼んで、母には韓国語を、父には日本語を使っていた。遊園地で初めてメリーゴーランドに乗ったとき、静河はわんわん泣きながら「オンマ、静河、ムソプタ［こわい］！」「パパ、静河ちゃん、こわいよ〜！」と叫んだ。

のちに判明したことだが、静河は韓国語が通じないと思って、パパに日本語を使っていたのである。3歳頃まで、女は韓国語を話し、男は日本語を話すものだと思っていたらしい。4歳になって幼稚園に通い始めたある日、初めて父親に韓国語で話しかけた。父親が「パパ、韓国語はわからないんだ」と日本語で答えると、静河はおもしろいことを言った。

「ウソだ。韓国語わかるって知ってるもん。男の人も韓国語が話せるんでしょ」

それ以来、日本語を使わなくなり、せっかく覚えた日本語は数カ月もしないうちに忘れてしまった。

幼い子どもは、家にかかってきた電話に出たがるものだ。静河も例外ではなかった。一日中、2人きりで家にいるので、余計に人恋しかったらしい。電話のベルが鳴ると、矢のように飛んでいって「はい、静河の家です」と受話器を取った。ほとんどが出版社からの電話だった。編集者の間でも静河のかわいらしい話しぶりは有名で、私に取り次いでほしいとも言わずに2人でしばらくおしゃべりをしていた。「どこの出版社ですか？　あ〜、はい。へんな名前ですねぇ」「ごはん？　まだです。オンマが遅く起きたから。そうなんですよ。ごはんのしたくもしないで」「オンマは寝てるから、わたしに話してください。うちのオンマっておねぼうさんなんです」。

母に負けず劣らずのおしゃべり好きだった。3、4歳の頃はこんなふうに電話交換手として編集者の間で人気を博した。その年頃の子どもとは思えないほど、おしゃべりが上手だったのだ。しょっちゅう電話に出ているうちに出版社の名前をすっかり覚え、仕事をする私の隣に来て、どこの出版社の何という本なのかを尋ね、いつしかちびっこマネージャーとしての地位を確立していた。

「オンマ、この本はどの出版社から出るの？」

「〇〇社よ」

「あ〜、△△イモ［おばさん。本来は母方の姉妹を指すが、親しみを込めて年の離れた女性を呼ぶときにも使われる］がいる出版社だね」（いつの間にそんなふうに呼ぶ仲になったの？）

「オンマ、このお仕事のお給料はいくら？」

「うーんと、いちまんウォンかな」

「安すぎるじゃない。せん、さんまんウォンにしてください、って言わなきゃ」

こんな調子だった。

ちびっこマネージャーは、当然のごとく出版社にもついてきた。もちろん、出版社にはあらかじめ了承を得る。子どもを見てくれる人がいないから連れていってもかまわないだろうか、と。薄情に連れてくるなと言われたことはない。電話で何度も話した子だからと大歓迎してくれる会社もあったし、ぜひ連れてきてほしいと編集者に頼まれることもあった。幸い、静河は幼いながらに空気が読める子どもだったから、出版社では打ち合わせが終わるまで隣でおとなしくしていた。3歳の頃、イ・ジョンハ氏の詩集が人気を博していた時期にチャウムグァモウムという出版社に遊びに行って、本棚に並んだ詩集を見ながら「オンマ、イ・ジョンハだよ、イ・ジョンハ。わたしの名前がどうしてここにあるの?」と不思議そうに飛び跳ねたときを除いては。

しかし、小学校に上がると出版社を訪問することもなくなった。静河が学校に行っている間に打ち合わせを済ませてくれればよかったからだ。しかし、マネージャー業をおろそかにはしなかった。むしろ、大きくなったことでより具体的に介入してくるようになった。たとえば、締切はいつなのかとか、翻訳料金は1枚当たりいくらなのかとか、翻訳料金が安いときは「今度からこの出版社とは仕事をするな」とか……。あるときなど、シゴン社からの電話に出て、こんなおべっかを使った。

「まぁ、シゴン社ですか? お電話ありがとうございます。わたし、シゴンジュニアの本が大好きなんです。はい、ロアルド・ダールが好きなんですよ。はい、全部読みました。シゴンジュニアの本は全部おもしろいです」

シゴンジュニアの愛読者で、ロアルド・ダールの熱血ファンなのも事実だ。だからって、子どもが多忙な編集者と個人的なおしゃべりまでするとは。おかげで、契約書にサインをしにいったら、編集者が靜河に渡してくれと本をどっさりプレゼントしてくれた。

私が携帯電話を契約してからはそちらに電話がかかってくるようになったので、編集者との電話遊びも終わった。それに、小学生ぐらいになれば電話への興味も薄れるものだ。

その代わり、マネージャーは携帯電話の通話履歴をチェックするようになった。トゥインドル社との通話履歴を発見して、「うわぁ～、トゥインドル？　最高！　ロビンソンシリーズをもらってきてね！」と大喜びしたこともある。娘が母親に本をせしめてこいとねだるなんて。

靜河は翻訳家の娘だけあって、誤字脱字に敏感だ。5歳の頃から、読書中に誤字を見つけると、異物混入を発見したかのように「オンマ、誤字、誤字」と仕事中の私に訴えてきた。いやいや、私は他人の本の誤字には興味がないんだってば。児童書には意外と誤字が多いということを初めて知ることにはなったけれど。靜河は誤字を発見すると、もみじのような手で赤ペンを持って修正した。

そして、本を読むたびに訳者の名前を必ずチェックする。読み終わると、翻訳のクォリティまで評価する。自然じゃない、かたくるしい、読みにくい、なめらかだ、韓国の本みたいにすらすら読める、などなど。読書好きな娘のために訳書を送ってくれていた翻訳家仲間たちは、靜河が翻訳の評価をすると知ってからは「怖い」と送ってこなくなった。

母の翻訳文は？　もちろん好きだ。ときどき「お母さんが訳した本は、翻訳小説じゃないみたい」と褒めてくれることもある。人に聞かれたら鼻で笑われそうなほど、私情に満ちた評価だ。私はあまり児童書の仕事をしないので、静河が小学生の頃は読める作品が少なかったが、それでも可能なかぎり私の訳書を読んでくれる。思春期に入り、母親にあれこれ不満を抱きつつも、翻訳と書き物だけはいつも褒めてくれる。新聞や雑誌、ブログに書いた私の文章のいちばんの愛読者はきっと静河だろう。今も昔も、依頼された原稿を書き上げてからチェックのために読んでもらうと、まずは褒めてくれる。家の中ではひっつめ髪でだらしない母が、翻訳家に変身する瞬間が新鮮だからだろう。

小学5年生になったとき、静河は徹夜で仕事をする母親の生活サイクルに合わせて、これからは一人で起きて学校に行くと言った。それまでは明け方4〜5時に寝て7時に起き、娘を起こして朝食を用意するのが正直つらかった。いらないという朝食を何とか一口食べさせて送り出し、もうひと眠りしたりしていたが、自分で起きて学校に行ってくれるようになってからはずいぶん楽になった。朝起きなくてはいけないというプレッシャーを感じることなく、きりのいいところまで仕事を進めてから寝られるので、気持ちが楽になり、能率も上がって一石二鳥だ。もちろん、朝食は娘がすぐに食べられるようにあらかじめ準備しておく。

実は、こうなったきっかけがある。『まほろ駅前多田便利軒』を訳したときのことだ。私はまだ最終校正をしている段階だったが、インターネット書店ではすでに予約受付が始まっていた。まさに一刻を争う作業だった。3日間ほぼ徹夜で仕事をしていたら、そばで見ていた静河が気の毒に思ったのか、「お母さん、明日は自分で起きて学校に行くから寝てて」。これが今も続いている。そんなわけで、我が家では「起きなさい！　早く！　遅刻するわよ！」という朝の怒鳴り声は聞こえない。この頃は「コンビニで何か買って食べてくよ。疲れてるだろうから、朝ごはんの用意はしないでね」という気遣いまでしてもらって恐縮だ。

静河はもう17歳。本が好きだった時代などあったのだろうかと思うぐらい、読書嫌いな高校生になった。手のひらサイズの紙にも一生懸命何かを描いていたちびっこが、今では書くことなどまるで眼中にない少女になった。あぁ、こんなどんでん返しが待っているとは思わなかった。母がどの出版社とどんな仕事をしているのか知りたがることもない。寂しくなるほど無関心だ（本人いわく、「仕事中に話しかけたら、お母さんがピリピリするから聞かない」とのことだが）。それでも、聡明なところは変わらず、勉強も得意で、働く母親を子どもの頃以上に気遣ってくれる優しい娘だ。

# 訳者あとがきのための弁解

1年が過ぎるたびに少しずつ訳書が増えていった。自分で企画を立案した村上龍の『ゴッホがなぜ耳を切ったか、わかるかい』〔原題『エクスタシー』〕と『オーディション』が多くの読者に知られ、韓国でも映画が公開されて大ヒットした岩井俊二の『ラヴレター』のおかげで、初めて翻訳者としてちょっとした居場所を築くことができた。村上春樹の『パン屋再襲撃』や『村上ラヂオ』などの作品もその頃に出版されて今なおロングセラーとなっているが、『ラヴレター』は純粋に映画のおかげで代表作となった。当時、幼稚園児だった静河は〝お母さんの紹介〟をこんなふうに書いた。

「うちのお母さんは『ラヴレター』を翻訳した、有名な人です」

幼い我が子に「『ラヴレター』は有名だし、岩井俊二監督も中山美穂も有名だけど、お母さんはちっとも有名じゃないんだよ」とわざわざ説明はしなかった。すると、今でも自分の母親が有名人だと思っている。困った。

私が翻訳した本の訳者あとがきには、最後の行に必ず静河の名前が入っている。その理由を別の本に書いたことがあるが、ご存じない方々のために簡単にご説明したい。3歳頃だったか、ハングルを読めるようになったばかりの静河に、出版社から届いた新しい本を見せながら自慢をした。

「静河、見て。ここにオンマの名前があるでしょ？　これ、オンマがお仕事をした本なんだよ」

母親の名前が本に載っているのを見たら、幼い娘はきっとすごくおもしろがるだろうなと思ったのである。ところが、静河はおもしろがるどころか、うわーんと大泣きしはじめた。

「オンマの名前だけで、静河の名前がないじゃない。うわーん」

まったく想像もしていなかった反応にあわてふためき、静河をなだめながらこんな無謀な約束をしてしまった。

「あれっ、オンマったら、うっかり静河の名前を書き忘れちゃったみたい。今度からはちゃんと書くからね。さぁ、指きりげんまん！」。それ以来、今でも静河は新しい本が出ると、いちばんに訳者あとがきをチェックする。

先日、ある方から「そろそろ、訳者あとがきに静河の名前を書くのはやめたらどうですか」と指摘された。こんな幼稚ないきさつも知っている方だ。そう言われていい気はしなかったけれど、せっかくだから、これまで何も考えずに書いてきた自分の訳者あとがきを見直してみた。

基本的に、私はカッコつけた文章や難しい文章、堅苦しい文章が嫌いだ。パソコン通信時代から最近のブログに至るまで、10年以上ネットに文章を書くことを楽しんでいるが、私のモットーは常に「無学な人でも楽しく読める文章を書くこと」だ。両親が私の書いたものを読むことはないけれど、基準はいつだって無学であるその2人だ。ハングルさえ読めれば誰にでも理解できる文を書くこと。私の頭の中にどうしようもなく膨大な知識が入っていたとしたら、無意識のうちに知識をひけらかしてしまったかもしれない。しかし不幸なことに、私の脳には生きるために必要な知識しか保存されていないから、あえて努力するまでもなく簡単な文章が出てくる。対象となる読者が誰であってもそれは同じだ。

訳者あとがきの場合も例外ではない。私が翻訳するのは知識を伝える本ではなく、主に楽しく読める大衆小説だ。わざわざ難しい言葉を使って、著者の作品世界を分析する訳者あとがきを書く必要性を感じない。もっともそんなふうに書けば、本がちょっとカッコよく見えたり、訳者あとがきが輝いて見えたりするかもしれないが、頭が痛くなりそうだ。それに、訳者あとがきは訳者にとって読者との唯一のコミュニケーションの場である。訳者のプライベートな話が1、2行付け加えられたからといって、作品に害が及んだり読書の妨げになったりすることはないだろう。私が読者の立場だったら、の意見だけれど。

とりとめもない弁解をまとめると、訳者あとがきに〝模範解答〟はないと思っている。豊富な知識を披露する訳者あとがきも、雑誌の編集後記みたいな簡単な訳者あとがきも、その訳者ならではのカラーだ。自分の好みではないからといって正しくないと決めつけなくてもいいのではないだろうか、と恐るおそる主張しつつ（ただし、うまく書けているあとがきとそうでないあとがきは確実にある)、あとがきの最後に静河のエピソードが1行入っていても、広い心で受け入れていただけたらと思う。訳者あとがきの中で静河が成長していくのを見ると、近所の子どもの成長を見守るようで微笑ましいというレビューを残してくれる読者も少なくない。

# シングルマザーになった日

2002年、サッカー・ワールドカップ4強進出の感動と歓喜が韓国全土を真っ赤に染めたそのとき、私は9年間の結婚生活を終えて、果敢に独り立ちをした。

最後に結婚生活を過ごしたのは、日本の東北地方最大の都市、仙台だった。日本の映画やドラマ、あるいは小説にしばしば登場する都市でもある。主に、失恋の痛みを抱えて訪れる場所として。豊かな自然と都市の姿が絶妙に交わり、そこかしこがドラマの撮影セットと言っても過言ではないほど素敵なところだ。そこで静河は小学校1年生になり、私は親子で仙台のあちこちをめぐりながら、旅するように暮らす生活を満喫した。

表向きは優雅で平穏な日々だったが、心にはいつも雨が降り出す3分前のような暗雲が立ち込めていた。1年間の別居を経て、静河のために再び夫と一緒に暮らしはじめたものの、相変わらずぎくしゃくしていたからだ。子どものために続ける結婚生活には限界があった。一人も知り合いのいない仙台で静河と2人きりの年末を過ごし、元日も2人で初詣に行った。復縁してから3カ月しか経っていなかったが、いよいよ本当に勇気を出すときが来たんだなと思っていた。子どものためと言いながら、こんな生活を続けることのほうがむしろ子どもにとってよくない気がした。

日本での離婚手続きは、カップラーメンを作るように簡単だった。離婚届を書いて区役所に出すだけで終わりだ。婚姻届を出したときと同じだった。韓国側にも離婚申告をするために、離婚届の受理通知などの書類を持って領事館に行く必要があったが、それぐらいは韓国で裁判所に通う苦労に比べれば何でもない［韓国では、家庭裁判所が定めた日時に必ず夫婦双方が出席して協議離婚意思の確認を受ける必要がある。1〜3カ月の熟考期間を経て、裁判所から「離婚意思確認書」の交付を受けた後でなければ「離婚申告書」を提出できない］。

離婚申告書を出す日、雪の多い仙台でも30年ぶりだという大雪が降った。生まれて初めて、膝まですっぽり埋まるほどの雪を見た。バスを降りてからも雪道をずいぶん歩き、さまよいながらたどりついた韓国領事館は、よりによって昼休みに入るところだった。私が到着したとたん、職員は領事館の門を閉めて出て行った。私なら、こんな大雪の中をやってきた同胞1人分の手続きぐらい、処理してから行くけどね。周囲には喫茶店ひとつ見当たらないのに、1時間もどこで待てというのだろう。領事館の前に立って、とめどなく降る雪を見ながら「やることもないし、雪だるまでも作ろうかな」と思ったが、やめておいた。離婚の手続きをしに来たのに雪だるまを作るなんて、いくらなんでも滑稽《こっけい》すぎる。

じっと立っているのもなんだし、ズボズボと足が埋まる雪道を端から端まで何度も行き来した。歩きながらこれまでの人生を振り返り、過ぎ去った結婚生活のことを考え、迫りくる未来について考えた。それでも昼休みはなかなか終わらなかった。あぁ、私の人生ってよっぽど中身がないのかしら。虚しさを感じながらあたりを見回すと、スーパーと小さな食堂が目に入った。食欲はなかったが（離婚する日に食欲があるほうがおかしい）、凍りついた手足と心を溶かすために食堂で昼食をとった。

1時間がこんなに長いなんて、その日まで知らなかった。人生を振り返って、今後の計画を立て、昼食をとり、スーパーを一巡りしたところで、やっと昼休みが終わった。

再び領事館へ向かった。業務は再開されたが、担当者が昼食を食べに行った先で渋滞にハマり、数十分遅れるという。どうかしてるんじゃない？　こんな大雪の日なんだから、近所で食べればいいでしょ。いったいどこまで行ったのよ！　これまでの鬱憤《うっぷん》と悲しみが罪なき職員に向かってあふれ出した。まぁ、実際は文句ひとつ言えないおばさんだったのだが。キャンキャン（負け犬の遠吠え）。

30分待ったが、担当者は戻ってこない。そのときになってようやく他の職員に書類を見せろと言われ、受理してもらえた。たった2分で終わった。こんなに簡単なら、お昼を食べに行く前にやってくれればよかったじゃない！　担当者でなくてもできるなら、先に受理してくれてもよかったでしょ！　こんな大雪の日に離婚する人がどれだけみじめな気持ちなのか、あなたたちにわかる？　激しい口調の吹き出しがいくつも頭上を飛び交ったが、黙っていた。口を開く体力も気力も残っていなかった。

バスに乗るために大通りまで歩きながら、何度も迷った。今からでも走って行って「ストップ！」と叫ぼうか。韓国にいる人たちは何て言うだろう？　戻って、書類を取り下げようか？　領事館から遠ざかったら永遠に後戻りできなくなりそうで、舞い降りてくる雪よりもゆっくり歩きながら、迷いに迷った。仙台の雪は、疲れることも知らずに降り続けていた。

バスを降りて家へ向かっていたら、下校中の小学生に「あっ、静河ちゃんのママだ！」とうれしそうに声をかけられた。子どもたちの集団に視線をめぐらせると、静河が私を発見してニコニコ笑いながら歩いてきていた。そのとき初めて涙が出た。お母さんとお父さんが別れることになったらどう思うかと聞いたとき、「お母さんの人生だから、お母さんのやりたいようにして。私は大丈夫だよ」と言った静河。本当に大丈夫だったのだろうか？

静河と私は家に帰り、ベランダで雪だるまを作って遊んだあと、ファミリーレストランに夕食を食べに行った。「高いものでもいいからね。何でも好きなものを頼みなさい」と言うと、静河はふつうのビーフカレーを選んで「お母さん、今日って何の日？」と喜んだ。

離婚すると決めてからソウルに戻るまで、1カ月もかからなかった。お互い離婚に同意した後はすべてが即断即決だった。

# 仕事が軌道に乗る

ソウルに戻った。私が自立できようができまいが、気にかけてくれる人はいなかった。あたたかい励ましの言葉をかけてくれる人もいない。両親は離婚した娘を恥じ、その他の人々は心配しているふりを装って高みの見物をしているような雰囲気だった。「身近な人が離婚するなんて。こんなことってあるのねぇ」みたいな。ある日突然、母子家庭になった私たち母娘に対して、世間はどうしてこんなに冷たいのだろう。

しかし、考えてみれば当たり前のことだ。結婚も離婚も私の選択、彼らは最初から最後まで野次馬だった。野次馬に対して、なぜ不遇な隣人に優しくしてくれないのかと無理強いするのは間違っている。自分の意志で結婚し、自分の意志で離婚したくせに、他人に何を求めているんだろう。はじめはあの人は冷たい、この人も冷たい、と、心の中で冷たい人リストを作ってばかりいたが、ある瞬間ハッと気づいた。すべては私の責任であり、私が一人で背負うべき運命なのだ。

誰かが助けてくれるだろうという期待はきっぱり捨て、一人で駆けずり回って情報収集した。保険を解約し、お金を工面して（公的融資も受けた）、10坪もない部屋を借りた。下の階がピアノ教室だったから、毎日子どもたちのでたらめな演奏を聴かされるのはつらかったけれど、半地下ではないというだけでも御の字だった。

住まいを決めたはいいが、これからどうやって食べていけばいいのだろう。途方に暮れた。翻訳家としてやや知名度が上がってきた時期だったとはいえ、仕事はあまりなかった。繰り返すようだが、世間は広く、クォン・ナミは目立たない。必死であがかなければ、誰も私の存在に気づいてはくれない。しかし現実は、支払い遅延の翻訳料金を督促する電話すらかけられない小心者。誰にも助けてくれとすがれない負けず嫌い。でも、これからはもう変わらなきゃ。大黒柱になったんだから。小学2年生の娘を塾にも通わせられない無能な大黒柱が、お高くとまって仕事が入ってくるのをただ待っているわけにはいかない。娘は学ぶことが好きで聡明だが、収入の保障がない状態で塾に行かせることは考えられなかった。不本意ながら、私教育を受けさせない意識の高い（？）母親になってしまった。

書店に行き、日本の小説や自己啓発書を出している出版社をチェックした。1社ずつ連絡して、仕事をくださいとお願いするつもりだった。しかし、電話をかけるには勇気がいる。電話越しとはいえ、断わられたり冷たくされたりしたら、弱い心が深く傷ついてしまいそうだった。そこで、電話はたまにかけるだけにして、主にEメールを送った。当時はすでに翻訳歴10年目。かなりメジャーな翻訳書が出た頃だったから、日本の書籍を扱う出版社はほとんど私の名前を知ってくれていた。「クォン・ナミ先生のような方からメールをいただけるなんて光栄です」

と電話をくれた出版社まであった。しかし結論から言えば、どこからも仕事はもらえなかった。政府の要人じゃあるまいし、メール1本で仕事が入ってくるわけがない。

家にいると焦りと不安が募るので、子どもが学校に行っている時間は毎日、書店に通った。書店に行けば、何らかの道が見えてきそうな気がした。あるとき、表紙が美しい日本の翻訳書が目に入った。見慣れない出版社名だったが、新進気鋭の企業なのか、何冊か書籍が並んでいる。本を開いてみると、発行人の名前に見覚えがある。数年前に何度か一緒に仕事をしたことのある出版社の社長だ。心の中で歓喜の雄叫びを上げながら、すばやく電話番号を書き留めた。ところが、世の中にこんな偶然があっていいのだろうか。帰宅するやいなや電話がかかってきたのである。まさに、その社長から！

翻訳を依頼しようと思って私を捜していたが、ずっと連絡先がわからなくて困っていたという。創業したばかりの野心に満ちた会社には、仕事の案件が多かった。あぁ、8割が運で決まる私の翻訳人生。こんなピンポイントの運も逃しはしなかった。

この出版社は小説も発行していたが、自己啓発書が多かった。そう、このときの私は雑食だった。依頼された本はジャンルを問わず、すべて引き受けていた。とは言っても、小説と自己啓発書、育児書ぐらいだが。ところが、この会社で自己啓発書を数冊続けて訳してみたら、自分には合っていないような気がした。社長にも「ナミさんはすごく美しい翻訳をするから、自己啓発書は合わないかもね」と言われた。それ以来、日本の小説だけを専門とするようになった。あちこちから仕事が途切れず入ってきていたから可能なことでもあった。翻訳10年目にして初めて、仕事を選ぶようになったのだ。結果的にそれは正しい選択だった。〝日本小説の翻訳〟と言えばクォン・ナミを思い出す編集者が増えたのか、どんどん仕事が入ってきた。

小説翻訳がいったん軌道に乗ると、それなりに順調に暮らせるようになった。なんと！　私の通帳にもお金というものが集まってきた。財テクなどはまったくやっていないが、2年後にはローンを返し、もっと広い部屋に引っ越した。その3年後には住宅ローンを組んで35坪のマンションを買った。住宅価格の安い郊外だが、それでもかなりの人生大逆転だ。そのうえ、この家はピアノ教室の2階で暮らしていた頃、静河が前を通り過ぎるたびに「お母さん、あそこ、友達が住んでるんだけど、すごくいい家なんだよ」と羨ましがっていたマンションだ。あの頃は、賃貸でもこんなマンションには一生暮らせないだろうなと思っていたのに、家主として暮らしているなんて……。家を買って4年になる今でもときどき、仕事の合間に家の中をぐるりと見回して「ここが私の家だなんて」と悦に入っている。翻訳は副業にしかならず、絶対にお金を稼げないと思っていたが、翻訳で家まで買うことになるとは。

# 娘の将来の夢

## 友達みたいなお母さんはいない

娘は中学3年生だ。こんなに大きな娘がいるなんて、ひょっとしたらこれは夏休みにぐうぐう昼寝をしながら見ている夢なんじゃないかと思うことがある。しかし、学校から帰ってくるやいなやまた塾へと向かい、しんどいとブツブツ言う娘の声を聞くと、たちまち現実に引き戻される。

子育てのモットーは〝友達みたいなお母さん〟だった。でも、友達みたいなお母さんというのは、〝実の娘みたいな嫁〟に似たまぼろしだ。いくら我が子が応援している歌手を一緒に応援しても、10代が使う流行語を覚えても、母親は母親でしかない。どうして1カ月しかない夏休みにパーマをかけようとするのか、どうして目に悪いというカラコンをつけようとするのか、死ぬほど蒸し暑くても夏服の下にTシャツを着こむのはなぜなのか。まったく理解できなくて、「中学生らしくしなさい!」が口グセの小言大魔王になった。

そろそろ娘との世代差を認めざるを得ない。私が中学生の頃は、高校野球の全盛期だった。娘が中学生の今年は、ワールドカップに韓国中が沸いた。鳳凰大旗全国高校野球大会の決勝戦が今も私の心に残っているように、娘の胸にはきっと対ギリシャ戦の喜びがいつまでも残ることだろう。私はチョー・ヨンピル［韓国の国民的歌手。日本でも人気を博し、87年にNHK『紅白歌合戦』に外国人として初出演］に熱狂し、娘はG-DRAGON［BIGBANGのリーダー。ラッパー。プロデューサー］にハマっている。私はカラーテレビが不思議でたまらなかったが、今は手の中でスマホをいじる世の中だ。

アナログ時代に少女時代を過ごした私がデジタル時代に生きる娘の〝友達みたいなお母さん〟になるのは、そもそも無理なことだったのかもしれない。「お母さんがあなたぐらいの年の頃は、本に囲まれて暮らしてたけど、あなたはインターネットばかりね！」。我慢できずに言い放って、しょっちゅう親子間の空気を凍りつかせてしまう。これからは、おいしいごはんを作ってあげたりする、普通のお母さんを目指そうと思う。

右の文章は、かつて朝鮮日報のコラム「一事一言」に書いたものだ。２００８年、中学生になった娘の静河がある日、「私も日本文学の翻訳家になりたい」と言った。これは、通算35番目ぐらいの将来の夢になるだろうか。国語の時間に将来の夢を発表することになったので考えてみたところ、ママみたいに遊んでいるように翻訳をしながら暮らすのがよさそうだと思った、とのことだった。朝早く起きなくてもいいし、混雑した地下鉄に乗って通勤する必要もなく、暑い日も寒い日も家の中で快適に働けて……自分もそんな仕事がしたいと言った。どのみち夢はまた変わるとわかっているから、私は「いい考えだね。将来はママの仕事を手伝ってちょうだい」と適当に返事をした。

ところが、国語の授業中にこの夢を発表したら、先生の反応がとても否定的だったという。先生の同級生の男性に韓国でも指折りの日本文学翻訳家がいて、とても有名で稼ぎも多いから、庭付き一戸建てを建てて暮らしている。でも翻訳家という職業は簡単に仕事が入ってくるわけではないし、一人前になるのも大変だ。そう言って、とにかく〝同級生にいるからよく知っているが、決して楽な仕事ではない〟と止められたそうだ。

稼げない翻訳の仕事で、そんな暮らしをしている方がいるなんて。私たち母娘はその翻訳家が誰なのか、ものすごく気になった。それほど有名だということはY先生かな？ と失礼を承知で、同級生に中学校の国語教師がいるかどうかお聞きしてしまったほどだ。

2年生でも同じ先生が国語を受け持つことになり、将来の夢の授業で静河はまた日本文学の翻訳家になりたいと発表した。先生は1年生のときと同じように同級生の話をして、誰にでもできる仕事ではないということを強調し、今回は「きみが勉強をがんばれば、その友達に口をきいてやることもできる」と言ったそうだ。

1年間ずっと気になっていたので、静河はここぞとばかりにその同級生は誰なのか尋ねたという。すると、

「きみは、日本文学の翻訳家にくわしいの？」

「はい」

「ひょっとして親御さんが……？」

「はい。母が翻訳家なんです」

「……」

「その翻訳家のお友達は、何というお名前ですか？」

「知らなくていい」


翻訳で成功し、庭付き一戸建て暮らす日本文学翻訳家、その正体は謎のベールに包まれたままになってしまった［後日談は、『ひとりだから楽しい仕事』の「謎はいつか解けるもの」を参照］。

それはともかくとして、お母さんのような翻訳家になりたいと言った静河の夢はこの3年後に変わった。中学3年生になったとき、こう言われた。

「お母さんみたいに暮らすのはすごく息苦しいと思うんだよね。一日中パソコンの前にいるでしょ？　外にも出ないし、人にも会わないし……何が楽しいのかわからない。私はたくさん人に会う仕事をするよ」

そして、将来の夢は記者に変わった。翻訳家とは１８０度違う職業だ。それもいい夢だね、と褒めた。このまま変わらないといいなと思う。

# 翻訳家の一日

ある日、こんなブログ記事を見かけた。

「私、翻訳家になる！　カフェでノートパソコンを開いて翻訳をしてる人を見たんだけど、すごくカッコよかったの。優雅に仕事をして、帰り道に映画を1本観よう！　すごく自由なスピリットじゃない？」

文章がかわいらしくて、思わず微笑んだ。どんな専門職でも、表向きはそんなふうにカッコよく見えることだろう。私も自分が翻訳家じゃなかったら、自由で余裕に満ちあふれた夢の職業だと思ったかもしれない。しかし現実は原稿を納品した日でもないかぎり、映画1本、ドラマ1話すら観る余裕がない。でも、それだけ忙しいというのはフリーランサーにとって幸せなことだから、不満はない。

私はほとんど家で仕事をしているが、翻訳者仲間の中にはノートパソコンを持ってカフェに行く人もいるし、図書館に行ったり、オフィスを1人で借りたり、あるいは数人でシェアしたりしている人もいる。どんな場所でどんなふうに働こうが、この仕事は優雅とかロマンティックとかいう言葉とは無縁だ。そもそも、締切に追われるフリーランサーが優雅でロマンティックでいられるのかわからないけど。

私から見ればもう十分に服を持っている娘がまた新しい服を買いたがり、「お母さんは今年、まだ1着も新しい服を買ってないんだけど」といじけてみせたら、こう言い返された。

「お母さんは外に出ないじゃん」

出かける機会が少ないだけで、たまには出版社に行ったり、編集者と会ったりする日もある。外出しないから服を買わないわけじゃない。私だって、素敵な服を見かけたら欲しくなる。でも、夜通し必死に働いて稼いだお金を服やアクセサリーにポンと出すことはできない。みんな同じように考えているせいなのかどうかわからないけれど、同業者の集まりに参加すると、そこまで野暮ったい人もいないが、とびきり着飾っている人もいない。あ、教授職を兼ねている方々は別だ。教壇に立つから身だしなみに気を遣わないといけないし、収入にも余裕があるから、専業翻訳家とは毛色が違う。

私は典型的な夜型人間だ。日中はぼんやりしているが、夕方になると目が冴えてきて頭がシャキッと働き、クリエイティブなアイデアがあれこれ浮かんでくるというパターン。だから、夜が明ける頃に眠りにつき、日が高くなってから目を覚ます。年配の人々から、年を取ると眠りが短くなると聞いていたが、私はまだ3、4時間の睡眠で満足できるほど老いてはいないらしい。少なくとも5、6時間は寝ないとスッキリした頭で働けない。起きたら眠気覚ましがてらパソコンを立ち上げてメールを確認し、インターネットをひと巡りする。ネットに接続した瞬間から、正体不明の誰かが頭の片隅で「早く閉じて、早く閉じて」と口うるさく言っているような気がして、いつも追い立てられている気分だ。一度ぐらい、のんびりとネットサーフィンを楽しんでみたいものである。

ウェブブラウザを閉じ、別のノートパソコンを立ち上げて翻訳作業を開始する（ネットにつながっているとどうしても仕事から脱線してしまうので、作業用のパソコンは接続を解除してある）。まず原書にざっと目を通し、今日は何ページぐらいまで訳すのかを大まかに決める。仕事の進め方は訳者によって異なり、翻訳を始める前に原書を最後まで読むという人もいれば、すぐ翻訳に取りかかる人もいる。私はそのときどきで違うが、本がとてもおもしろそうなときや難しそうなときは先に読むことが多い。それぞれに長所と短所がある。あらかじめ読んでから翻訳を始めると、内容をすべて把握しているぶん訳しやすいが、おもしろさが減る。観たことのある映画をもう一度観るような感じだと思ってもらうといい。読まずに翻訳を始めると、先の展開が知りたくて楽しみながら訳すことができ、スピードもアップする。しかし、全体を把握していないせいでときどきミスが出ることがある。どのみち校正のときにチェックをするから、たいした問題ではないけれど。それでも、どちらがおすすめかと聞かれたら、一度じっくり読んでから翻訳を始めたほうが校正にかかる時間を短縮できる。

原稿用紙30枚分ぐらい訳すと、そろそろ飽きてくる。そんなときはちょっと休憩してベランダから空を眺めたり、あれこれ考えごとをしたり、テレビをつけることもあるし、ブログを書くこともある。

そのうち午後になるとようやく遅い朝食をとり、ぼちぼち翻訳を再開する（締切まで余裕があるときは〝ぼちぼち〟、目前に迫っているときは〝大急ぎで〟）。午後4時～5時、だいぶノッてきたなという頃に静河が学校から帰ってくる。手はキーボードを叩き、口だけで歓迎する。「おかえり、かわいこちゃん」。静河はいつも不満げだ。どうして他のお母さんみたいに玄関まで来てくれないの、と。えっ？　玄関まで行って出迎えるなんて、小説とかドラマの中だけの話じゃないの？　いずれにしても、必死で仕事をしているときは娘の下校があまりうれしくない。リズムが途切れてしまうから。

静河が小学生の頃は翻訳の手を止め、その日にあったことを聞いて遊んであげていたが、中学生になってからは仕事をしながらおかえりの挨拶をして、仕事をしながらおしゃべりを聞き、仕事をしながら小言を言って……娘と仕事を同等に扱っていると言うべきか、娘より仕事を重視していると言うべきか。よく言えば、「私たち、それぞれ独立した人格として、お互いに寄りかかりすぎないようにしようね」というシステムだ。

夕食は仕事が忙しければフードデリバリーを頼み、そうでないときは自分で料理を作って子どもと一緒に食べる。ずさんな衛生管理の実態を暴くテレビ番組を見て以来、なるべくデリバリーは控えて、食事を手作りするように心がけている。とにかく、娘も私も1日の中で唯一しっかり食べる食事だ。料理の腕はどうなのかって？　上手ですよ。難易度が高いものでなければ。ちなみに、私の趣味は料理ブログを見ること、料理レシピの検索、料理本のコレクション。静河が小学生のとき、我が家に遊びにきた友達にこんなことを言っているのを耳にした。「ちょっと見てよ、あの本の山。うちのお母さんって、お料理の本を読んだり見たりするだけで、作らないいんだよね」

事実である。気持ち的には毎日料理をしたいが、その時間が惜しかった。当時はがむしゃらに仕事ばかりしていたからなおさらだった。最近はゆとりとノウハウを身につけたので、ときどき料理を楽しむこともある。

夕食後はしばらくインターネットを見たり、読書をしたりする。天気がよければ、愛犬のナムを連れて中浪川《チュンナンチョン》沿いを散歩する。休憩の時間が終わったら翻訳を再開し、仕事と休憩を繰り返して、明け方に寝る。

平和に見えるのではないだろうか？　この程度であれば、かなり平和な日常と言える。繁忙期には想像すらできないほどの穏やかさだ。どれぐらい忙しくなるかは、1カ月にこなすべき仕事量によって決まる。原稿用紙700枚分の小説を1カ月で訳すとしたら、これよりもう少しのんびりできる。1000枚ぐらいなら、ちょうどこんな感じの生活だ。1000枚を超えると、ちょっとバタバタしてくる。

私にとって〝仕事〟はほぼ〝趣味〟に近い。仕事に追われて奴隷のように生きているように見えるかもしれないが、働くことがおもしろくて楽しいから、何か別のことをして遊んでいてもすぐノートパソコンの前に戻ってきてしまう。

そんなに好きな仕事であっても、ときどきスランプはやってくる。思春期返りの現象なのか、「こんなにあくせく働いて何になるの」とふと疑問を感じるときがある。しかし皮肉なもので、そう思っていても新しい仕事が入ってくれば、スランプなどなかったかのように徹夜も辞さない情熱がむくむくと湧き上がってくる。

実は、私のような生活は翻訳家の〝悪い例〟だ。朝型人間の同業者を見ていると、本当にうらやましくなる。夜型は働く時間をたっぷり確保できるように思えるが、あまり効率的ではない。一方、朝型は短期集中で能率を上げる。働く時間を決めておき、残った時間に出かけて運動をしたり、人に会ったり、書店に行ったり、映画を観たり……充実した暮らしを楽しんでいる。深夜に1人であれこれ考えをめぐらせて働く夜型とは生活の質が違う。後進のみなさんにはぜひ朝型人間として生きてほしいと願っているが、すでに私みたいな〝悪い例〟の生活パターンが染みついている方々のほうが多いのではないだろうか？

## 翻訳死するところだった！

　母に電話をかけるたびに、まず「ちゃんと食べてる？」と聞かれる。そして、体に気をつけろという締めの挨拶代わりに「お願いやから外に出て、ちょっとは歩いてよ」と頼み込まれる。結婚して実家を出て以来ずっと聞かされているから、約17年間変わらないセリフだ。

　私がめんどくさがり屋で食事にも気を遣わず、なかなか外に出ない人間であることを誰よりよく知っているので、母は寝ても覚めても娘の食事と運動の心配をしている。先日はもう一段階グレードアップした会話を交わした。

「あんたもたまには人に会《お》ぉて、外で遊びなさいよ。頼むで」

「お母さん。小さい頃から外遊びが嫌いだった私が、この年になって出歩きたくなると思う？」

「そやけど、ちょっとは恋愛ぐらいしなさい。仕事ばっかりしてんと。そんなふうに暮らしてどないすんの」

　慶尚道《キョンサンド》［韓国南東部］のおばあちゃんだから、娘に〝恋愛〟なんて言うのは相当恥ずかしかったはずだが、勇気を出して言ってくれたお言葉だった。きちんと食事をとらず、運動もせず、人にも会わずに引きこもっている娘を見ているのがよっぽど歯がゆかったのだろう……。

ひよわな外見とは違って（?）健康体の私は、風邪っぽいなと感じるのは年に一度か二度、重い風邪をひくのは数年に一度ぐらいだ。20年にわたって毎日パソコンの前にいるけれど、まだメガネがいらないほど視力もいい。それでも四十路を超えると体のことが心配になって、2年ごとに健康診断を受けている。体重が徐々に増え、身長がやや縮みつつあること以外、これといった異常はない。

……と、自分の健康状態を過信していた。ところが一昨年だったか、ひと月で原稿用紙2200枚を超える分量を翻訳する仕事が入ってきた。覚えている方もいらっしゃると思うが、『ドラゴン桜』という、韓国ではユ・スンホが主人公の高校生を演じた同名ドラマの原作小説だ［原作漫画は三田紀房著。『小説ドラゴン桜』は里見蘭との共著］。作業期間は約2カ月と聞いていたが、ドラマの放送日が前倒しになったせいで、1カ月で終わらせることになった。ふだん軽めに仕事をするときの3カ月分に相当する作業量だ。

ところが、万全だった体調がよりによってこんなときにおかしくなってきた。出不精の私は一度の外出で複数の用事を済ませるようにしているが、この本の担当者と会った日は打ち合わせが4件も重なり、いつにも増して過密スケジュールだったせいだ。場所はすべて教保《キョボ》文庫［韓国を代表する大型書店］だったから移動はなかったが、4社の人々と次々に会い、しゃべり倒して帰ってきたら疲労困憊……。寒かったこともあって、翌日すぐに風邪っぽくなってきた。いつもなら風邪薬を飲んで済ませるが、今回は大作が控えているので病院にも行った。しかし、症状はどんどん悪化していく。咳がひどくなり、のども痛いし、胸痛に頭痛に……ここまで全身あちこちが痛むのは生まれて初めてだった。

でも、体調が悪いからといって寝込むわけにはいかない。ドラマの放送日が目前に迫り、編集者は私が原稿を納品するそばから編集作業を進めていて、急きょ代打を頼める訳者もいない。それなりのベテランでないかぎり、1カ月でこんな作業量をこなすのは無理だ。そして、そんなベテランが暇をもてあまして遊んでいるはずがない。

病気のデパート状態の体で、目を覚ますやいなやノートパソコンを立ち上げて仕事に取りかかる。午後4～5時ぐらいになってから「あ～、そうだ。朝ごはん、まだだった」と水かけごはんをズズッと流し込むようにかきこんで、再び仕事に没頭。夕食は靜河と一緒に適当にデリバリーを頼んだり、インスタント食品で間に合わせたりした。

主婦は家事に割く時間が多い。食事のしたくをして、掃除をして、洗濯して、買い物をして……。専業主婦でも仕事を持つ主婦でも、やらなくてはいけない家事の量は大差ない。2人暮らしなのに家事代行を頼むのもなんだし、病を押して働く姿を見せたら心配するだろうなと思うと、母に助けを求めることもできなかった。こんなピンチのときは家事と食事の時間を最大限に減らして、仕事の時間を増やすにかぎる。思いきって不良主婦になるのだ。

こうして家事の時間まで仕事に当てながら、合間に病院にも通ったが、体調はなかなか回復しなかった。咳はますますひどくなり、のども相変わらず裂けそうなほど痛んで、胸痛も頭痛もひどい。しかしなんとも奇妙なことに、耳鼻咽喉科の医師から「もうすっかり治ってますが、本当に体調が悪くて来てるんですか?」と聞かれた。じゃあ何? あなたがハンサムだから来てるとでも? いつまでも回復しないので病院を3カ所もめぐったが、どこも風邪薬をくれるだけ。いくら飲んでも症状は改善しない。あまりに具合が悪いので、初めて自分のお金で滋養強壮剤まで買って飲んだ。それでも相変わらず体調はすぐれなかった。

冗談じゃなく、本気で仕事中に翻訳死するかと思った。俳優や歌手が「舞台の上で死んでも悔いはない」と言ったりすることがあるが、私には翻訳しながら壮絶な死を迎えたいという気持ちはみじんもない。ある土曜日、深夜0時に翻訳原稿を送ってから、これ以上はもう無理だ、今日は早く寝よう、と倒れ込むようにベッドに横になった。その瞬間、編集者から携帯にメッセージが届いた。「先生、まだ頑張っていらっしゃいますか?」。すぐにガバッと起き上がり、仕事を再開した。赤ちゃんのいるママなのに、週末の0時まで会社で働いている編集者のことを思うと、体調が悪くても早寝はできない。望まぬ翻訳死を迎えることになってもしょうがないな、と思いながら、また夜を明かした。

締切が近づいてきた頃、ついに私の病名(?)がわかった。薬がまったく効かないのはさすがにおかしいと思い、ネットで調べまくった末に発見した。風邪ではなく、〝逆流性食道炎〟だ。咳が出て、のどが痛むから当然風邪だろうと思っていたが、これこそがストレスと不規則な食生活が引き起こすというあの病気だった。病院に行った。自己診断の結果〝逆流性食道炎〟のようだ、処方せんを出してほしいと言うと、診察をして処方せんを書いてくれた。たった3粒の錠剤を飲んだだけで、1日もしないうちにそれまでしつこく私を悩ませていた症状が消えた。3日分の薬を飲み終えてから病院に行くと、医師が「安定剤と消化剤だけで治ったんですか？　本当に逆流性食道炎だったんだねぇ」と笑った。

逆流性食道炎は、ストレスを避けて規則的な食事をすれば、おおかた治るという。その日から1日3食、決まった時間に食事をとるようにした。体調はみるみる回復し、締切を乗り越えた頃には苦しんでいたのが嘘のようにすっかり元気になった。なんともはや、無理なスケジュールでストレスがたまり、時間を惜しんで不規則な食生活を続けたせいで、ここまで苦労することになったのである。そうとも知らず、死に至る病にでもかかったのかと思ってヒヤヒヤした。

体調不良ながらも仕事をしていて幸せだったのは、ドラマとは内容が少し違うが、作品がとてもおもしろかったことだ。落ちこぼれの高校生が1年間必死で勉強して東大を目指すという漫画のノベライズ版で、内容が興味深くてページをめくるのが楽しかった。退屈で難しい内容だったら、本当に翻訳死していたかもしれない。そしてもうひとつ、こんなふうに命懸けで働いたおかげで、翌月1千万ウォン以上の報酬が振り込まれた。

ひょっとして、うらやましいと思った人もいるだろうか？　だが、羨望には値しない。私はこの仕事を終えてからもなかなか本来のペースを取り戻せず、数カ月間、死体のようにのびていた。次の本が控えていたからもちろん完全に休むことはできなかったが、アンドロメダへと旅立った魂はまるで戻ってくる気配がなかった。反抗的な思春期でもなく、さまよう20代でもなく、苦悩する30代でもなく、齢40を超えているというのに「私はどうして生きているんだろう？　なぜこんなふうに生きなくちゃいけないの？　ずっとこんなふうに生きていかなきゃいけないの？」と憂うつになった。

今後もずっと仕事漬けで生きていくのだろうかと思ったら、こんな人生はもうたくさんだ、というところまで思考が飛躍してしまい、死について真剣に考えたこともある。過労による一時的なうつ病だったが、12月に翻訳を終えて1月に本が発行され、春が訪れて去っていくまでの長い時間、その暗闇から抜け出せなかった。月収1千万ウォン超の後遺症は長かった。高所得者を安易にうらやむものじゃないなと思った。

お金より健康のほうが大切であることを知らない人はいない。しかし、人はお金儲けのチャンスが目の前に近づいてくると、健康よりお金を選んでしまう。病気になるまで、健康とお金の優先順位がわからない。私がこんな仕事をしたことを話したら、知り合いの翻訳家の先生に叱られた。

「翻訳は長距離走ですよ。マラソンなんです。１００メートル走みたいに全力疾走したら、くたびれて長く続けられなくなります。あと1、2年で辞めるわけじゃないでしょう？」

後進のみなさんにもこの言葉をお伝えしたい。

こんなふうにひどく苦労した後、それまで無関心だった健康に気を遣うようになった。まずは1日3食、きちんと食べるようになった。そして、深刻なレベルの運動不足を解消すべく、ナムと散歩をする時間を大幅に増やし、大金をつぎ込んでランニングマシンも買った。ランニングマシンを買ったことを自慢したら、みんなから「すぐ物干し台になるだろうね」と鼻で笑われた。

うーん。2年が過ぎた現在のランニングマシンの状況は、物干し台ではなく、観賞用マシン、といったところかな？　ナムと最後に散歩をしたのはいつだったのかはっきり思い出せないし、1日3食なんて夢のまた夢……。やっぱり、私の三日坊主は年をとっても治らないらしい。

# 名刺作り

日本に初めて行ったのは大学2年生のときだ。ホームステイ・プログラムに参加して、東京と北海道で1カ月を過ごした。初めて訪れた外国だったから、見るもの聞くものすべてがめずらしかったが、特に驚いたのは、大学生なのに初対面の挨拶で名刺を交換する文化だ。名刺というのは、会社員やビジネスをしている人だけが使うものだと思っていたから、とても不思議だった。内容は名前と電話番号、学校名、家の住所ぐらいで、素朴な手作りのデザインがほとんどだったが、新鮮な発想だなと思った。

ところで私は、翻訳の仕事を始めて10年が過ぎるまで名刺を持っていなかった。名前と職業以外はいつ変わるかわからないから、作れなかったのだ。名刺に欠かせない、電話番号と住所のことである。1、2年ごとに引っ越しをするせいで、携帯電話がない時代は電話番号と住所がしょっちゅう変わっていた。出版社を訪問するとき、名前と電話番号を手書きしたカードを渡していた時期もある。今思えば、30代半ばを過ぎていたのになんと幼稚だったことか。筆跡も子どもっぽくて、まるで名刺を渡すごっこ遊びみたいに見えたことだろう。

私が名刺を作ったのは、何度引っ越しても変わらない携帯電話の番号とEメールアドレスを取得してからのことだ。地方在住の女性ファンが素敵なデザインをしてくれた。自ら〝翻訳家〟と名乗るのは気恥ずかしくて、〝翻訳する人〟と商号のように大きく入れた。単語ごとに文字の高さを少しずつ変え、〝翻訳〟のパッチム〔ハングルを構成する最後の子音。翻訳(번역)の場合、번のㄴと역のㄱの部分〕にはそれぞれ違う色を使ったが、これは私が夢の中で見たデザインだ。起きてすぐにメモを取っておき、デザインを請け負ってくれた彼女にフォントはこんなふうにしてほしいとお願いした。携帯電話の番号とEメールアドレスだけのごく簡単なものだが、名刺が完成したときは胸がいっぱいになった。出版社で名刺をもらうたびに、「すみません、私は名刺がなくて……」と気まずい思いをすることがなくなったのだ。それまで名刺を持ち歩く習慣がなかったから、うっかり忘れて家に取りに戻ることも多かったけれど。

最近は名刺を持ち歩く翻訳家も多いとは思うが、もし持っていないなら作ることをおすすめしたい。お店まで行かずにインターネットで注文することもできるし、料金も意外と安い。出版社に企画書を送る際や編集者と会うときに名刺を渡しておけば、一度の出会いでも名前と連絡先を伝えられるから、かなり有益だと思う。

# 編集者との関係

翻訳の仕事が好きな理由のひとつは、人間関係のストレスが少ないということだ。仕事をする間に会うのはほぼ担当編集者一人だけ。〝会う〟といっても、直接ではなく、リモートでのやりとりが多い。電話やメールで仕事の依頼を受けて、郵便で契約書を取り交わし、メールで原稿を納品して、校正紙や校正データをやりとりすると、口座に翻訳料金が振り込まれる。以上で作業完了だ。こうした過程がスムーズに進行すれば、不和が生じることもなく、ストレスを受けることもない。

しかも、編集者たちのほとんどは礼儀正しく接してくれる。私が翻訳を始めたばかりの頃は、クォン・ナントカさんみたいな呼ばれ方で雑用係のように扱われたが、最近はていねいに〝先生〟という敬称をつけて、ある程度〝作家〟扱いしてくれる。経歴にかかわらず、新人の翻訳家に対してもそうだ。

30代半ばまでは先生と呼ばれるのが気まずくて、名前で呼んでほしいとお願いしていたが、年を取ってからは慣れてきた。むしろ最近はごくまれに、高校を卒業したばかりのような取引先の社員からあどけない声で「クォン・ナミさんですか?」と呼ばれると、「えっ」と驚いてしまう［韓国では年上の相手を「さん」付けで呼ぶことはほとんどなく、「様」「先生」などの敬称や役職名をつけるのが一般的］。それから、〝作家様〟と呼ぶ編集者もいるが、この敬称は本当に気まずい。「もう～、よしてくださいよ。作家様だなんて」と言っても、そのかわいらしい編集者は聞き入れてくれない。とはいえ、こちらから「先生と呼んでください」なんて言うわけにもいかないし……。

私は編集者に仕事を依頼されたときの短い電話やメールから、自分と波長が合うかどうかをすばやく感じ取ることができる。編集者との相性が翻訳に影響することはまったくない。ただ単に性格を把握して、メールを送るときに〝用件だけを簡潔に〟書いたほうがいいのか、プライベートな雑談を交えて気楽に接してもいいのかを区別するだけだ。なるべくフランクにつき合いたいけれど、相手は業務以外の会話は必要ないと考えるタイプかもしれないから。

波長がぴったり合う編集者とは、本が出るまで親密に過ごす。出版後に会って、軽くお酒を飲んだりもする。そんなときは仕事抜きでも永遠に親しくつき合っていけそうな気がするが、一緒に働く機会がなければ不思議と疎遠になっていく。お互い新しい仕事が始まって、別の編集者、別の翻訳家との作業が忙しくなるからだ。それでも、たまに連絡を取り合う編集者もいる。1冊しか一緒に仕事をしていないのに、10年以上やりとりのある人もいる。

ときどき、翻訳者仲間から〝非常識編集者〟のエピソードを聞くことがある。手を叩いて大笑いしつつも（とんでもエピソードはおもしろいものだから）、そんな編集者に出くわさずに生きてこられたことに感謝した。長年たくさんの人と仕事をしてきたが、編集者のせいでイヤな思いをした経験はほとんどなかったのだ。

ところがここ数年、私にも不快な出来事がいくつか起こった。他の翻訳家が聞かせてくれる非常識ケースに比べたら、お話しするのも恥ずかしいぐらいささいなことだけれど。

訳者と編集者の衝突は、校正ミスが原因で発生することが多い。でたらめな翻訳のせいで苦労する編集者も多いが、でたらめな校正のせいで血圧が上がる訳者も多いのだ。私はずっと優秀な編集者に恵まれてきたおかげでそうした経験がなく、校正紙に赤字が入っていたときは「私の訳し方に問題があったんだろうな」と考えていた。ところが、ついに私も「ええっ」と声を上げてしまうような校正紙を受け取って、まさに頭からモクモク湯気が立つような気分を味わった。また一緒に仕事をすることもあるかもしれないから、できるだけ礼儀正しく校正紙に修正を入れて、一言だけクレームを書き込んだ。「お願いですから、校正紙は翻訳原稿以上に念入りに読んでください」。

思い返せば、もう二言、三言、厳しいコメントを書いたような気もする。ところが、それを読んでイヤな気分になったはずの編集者は、明るい声で電話をかけてきて「先生、○ページと○ページと○ページのご指摘いただいた部分を直せばいいですよね？　他にも修正する箇所があれば、またお申し付けください」と言うではないか。その天真爛漫な声を聞いたとたん、苦言を呈したことが申し訳なくなった。不快な記憶はたちまち心苦しい記憶に変わった。

校正に関することではないが、電話中に「それはないでしょ」と腹が立ったことが一度ある。数年前、私が作成したレジュメについて、会って話がしたいという編集者がいた。版権取得のオファーをすべきかどうか迷っているらしい。私から見ても、微妙なラインの作品だった。電話でもできる話なのにわざわざ会う必要があるのかなと思ったが、初めて連絡をもらった出版社だったので、顔合わせも兼ねて、近日中に外出する機会があれば連絡すると伝えた。それから約1週間後、光化門《クァンファムン》の教保文庫で別件の打ち合わせが入ったので連絡した。「約束があって教保文庫に行くので、教保で会いましょうか?」。すると、その編集者は「教保には1週間前に行ったんですよね。そこまでは遠いんで、弊社まで来てください」。

用件からして、来いと呼びつけるようなことじゃないと思うのだけど。おまけに出版社の所在地は弘大《ホンデ》前。光化門まで遠いという距離ではない［車で20分程度］。結局行かなかったが、そちらの都合で会いたいと言われたから外出に合わせて会おうと提案したのに呼びつけるのはおかしいと思う、ちょっと不快だった、というメールを送った。すると、なぜ不快なのか理解できないが、不快だったなら謝るという返信が来た。私に20年近い翻訳歴があり四十路を超えているからというわけではなく、たとえ新人翻訳家だったとしてもこれはマナー違反だ。でも、いちばんイヤな思いをした記憶がたかがこの程度なんて、翻訳業界は何ともあたたかいところではないだろうか?

ときどき後輩たちから、編集者との間にトラブルが発生したがどうすべきだろうかと相談されることがある。実際、2人のうちで立場が弱いのは訳者だ。仕事をくれるのは編集者だから、主導権は相手が握っている。訳者は仕事がなくなるのが怖くて言いたいことが言えず、なるべく丸く収めようとする。そのうちどうしても我慢ならない状況に陥り、その出版社と仕事ができなくなることを覚悟して抗議する。そんなふうに行動して後悔していない人を見たことがない。誰もが「あのとき、もうちょっと我慢すればよかった」と言う。言いたいことを言ったはいいが、心のモヤモヤは晴れず、取引先が一つ減っただけだからだ。

やっぱり、相手に対する不満は心にしまっておいたほうがいいと思う。ぶちまけて表向きは和解できたとしても、また一緒に働くのは難しい。翻訳家は大勢いるのに、つき合いにくい人にわざわざ仕事を任せるだろうか（あくまでこれは、1冊でも仕事を失いたくない後輩たちに向けた言葉だ）。卑屈であれと強いているように聞こえるかもしれないが、くやしければ出世して、もっと堂々としていられるように影響力ある訳者になるしかない。

とはいえ、こんな衝突は頻繁に起こるわけじゃないから（20年間で2、3回なら、ほとんどないようなものだ）、編集者の顔色をうかがっておどおどしたり、へいこらする必要はない。同じ側にいる翻訳者なのにこんなことを言うのもなんだが、もし編集者としょっちゅうぶつかることがあるのなら、自分のほうに問題があるのではないかと考えてみるべきだ。

# 新人翻訳家へのアドバイス

　ある新聞社のインタビューを受けたときのことだ。記者さんから「生まれ変わっても翻訳をしたいとのことですが、どういう点にそれほどの魅力を感じていらっしゃるのですか？」と聞かれた。

「うーん、作家の息遣いに呼吸を合わせて、一語一語を訳していくときの喜びが……（うんぬんかんぬん）」。

　その日のインタビューは全体的にめちゃくちゃだったが、特にこのセリフは最悪だった。どうしてこんな鳥肌モノの発言をしてしまったんだろう。主要日刊紙の単独インタビューは初めてだったから、よほど高尚なふりをしたかったらしい。そのセリフを思い出すたび、記者の頭の中に消しゴム工場を建設したいぐらい恥ずかしくなる。

　作家の息遣いに合わせて翻訳をするのは、正直そこまでうれしいわけじゃない。それ以外にも翻訳という仕事のいいところはいくらでもある。いちばんいいのは、家にいられて子どもと同じ空間で仕事をし、育児ができるということだ。常に本と向き合っている仕事だから、本を読む母親の姿を見せられるし、毎日学校からの帰りを歓迎する優しい母の姿を演出することもできる（娘からはたまに「友達を呼びたいから、少しは出かけてよ」と贅沢な不満を言われることもあるけれど）。

そして、仕事の結果が虚空に消えるのではなく、〝本〟になって残るというのも大きな長所だ。歳月と共に増えていく本棚の翻訳書を眺めながら、「あの本が出た年は、こんなことがあったのよね」とタイムトラベルをするささやかな楽しみもこの仕事から得られる喜びだ。

もうひとつ挙げるとしたら、早期退職や定年がない点だ。年を取るにつれて翻訳料金が上がり、待遇もよくなる。もちろん、年齢と共に実力も上げていかないといけないけれど。

何と言っても、この職業の最大の長所は、いつも本のそばにいられるという点ではないかと思う。自分が訳した本以外にもどんどん蔵書が増えていき、本に埋もれて暮らすことになる。本好きの人にはぴったりの職業だ。

こんな翻訳を生業《なりわい》にしようとしている、あるいは、生業にして間もないみなさんのために、これまでの経験に基づいたアドバイスをまとめてみた。

## リーディングで信頼を得よう

とある出版社から翻訳の依頼を受けたとき、原書と一緒にレジュメが送られてきた。通常、出版社はリーディングとレジュメ作成を担当したリーダー［リーディングを行う人］に翻訳を任せるが、経験が浅かったり知名度が低かったりする場合は、別の翻訳者に依頼することがある。どんな分野であれ、やりたい仕事を任せてもらえるようになるまでの悲しみはあるものだ。苦労してレジュメを書いて、ぜひこの作品を翻訳したいと思っていたのに、版権を取得したら他の翻訳家に依頼するなんて、と嘆くことはない。レジュメの作成はすべて血となり肉となり、お金になって、勉強になり経験になる。そんなふうに階段を1段ずつ上がっていけばいい。運に恵まれて1段飛ばしで駆け上がっていく人もいるが、その場合、基礎固めが不十分でたちまち壁にぶち当たることもある。

原書と一緒に届いたレジュメを見て、びっくりした。サンプル翻訳が素晴らしく、あらすじをまとめるセンスも抜群だ。そのうえ、私もそうだが、たいていはレジュメに必要なこと——あらすじ、サンプル翻訳、リーディング所感——だけを書くのに、このリーダーは作家紹介と現地読者のレビューまで訳していた。しかも、肯定的なレビューと批判的なレビューを半分ずつ（最近は、レジュメをこんなふうに美しく作成する人が多いようだ）。この立派なレジュメを見て「近い将来、この人はいい翻訳家になるに違いない」と思い、名前を覚えておいた。予想どおり、このリーダーは現在精力的に活動する翻訳家の1人になっている。レジュメを読んでそう感じたリーダーがもう1人いるが、その人も同じく活躍中だ。これほど的を射た誠意あるレジュメなら、どんな編集者でも心を奪われるし、信頼感を抱くはず。そこから仕事へとつながるまでにさほど時間はかからない。

レジュメとは、外国書籍の新刊情報が入ってきたとき、出版社がその内容を把握するために訳者に作成を依頼するものだ。訳者によって形式は異なるが、主に①タイトル、②著者名、③出版年、④出版社、⑤ページ数、⑥あらすじ、⑦翻訳サンプル、⑧リーディング所感で構成されている。あらすじはくわしく書く人もいれば、圧縮して書く人もいるが、私の場合、それほどいい作品だと思わなかったときは短めに、ぜひ出版すべき本だと思ったときは長めに書く。サンプル翻訳の分量は決まっているわけではないが、少ないときはA4用紙4ページ、長いときは10ページ分ぐらい訳す。このときもやはり、出版社にぜひおすすめしたい作品であれば長めに書く。所感は、本を読んだ感想を書けばいい。それぞれに好みがあるから、リーディングをした本が自分の好みに合わないときもあるだろう。しかし、所感を書くときはなるべく個人的な好みを捨てて（捨てようと思って捨てられるものでもないけれど）、読者の立場になって考える。そのためには年齢や性別など、どんな読者層に合う作品なのかをまず把握しなければならない。どうやって？　たくさん本を読めば、答えはおのずと見つかりますよ。

リーディングを依頼されたら、本を読み終えるのに1、2日、レジュメの作成に1、2日ほどかかる。ぶ厚い本の場合は1週間以上かかることもある。リーディングの料金は10万～20万ウォン程度。本を読み、レジュメを書く日数で割ると少ない報酬である。出版社が版権を取得して、翻訳まで任せてもらえればいいが、現実はレジュメを10本書いて1件契約が決まるかどうか。経歴が短ければ、翻訳を任せてもらえる保証もない。

それでもレジュメは真剣に書くべきだ。そうすれば編集者とのコミュニケーションが増え、チャンスが増える。たとえ今は翻訳のオファーが来ないとしても、いつかは来る。出版社に自分をアピールする絶好の機会だ。編集者に送るラブレターだと思って、心を込めて書くことをおすすめする。

みなさんの中には「レジュメを書くチャンスでもいいから欲しいです！」と切に願う翻訳家志望者もいると思う。あまりにもありきたりなアドバイスで期待外れかもしれないが、「叩けよさらば開かれん」。おそらく翻訳家になりたいという人の多くは、活動的で社交的というよりも、どちらかというと内気で非活動的な性格なのではないだろうか。私がそうだからみんなもそうだろうと言いたいわけではなく、翻訳の仕事をしている人に会うと10人中6、7人はそんなタイプだからだ。天性の話術とユーモアでその場を盛り上げる人もいるが、多くの翻訳家に会った経験から言うと、そういう人はめったにいない。

こんな性格の人たちにとって、いきなり出版社の門を叩くのがどれくらい難しいことか、誰よりもよくわかる。でも、最近はわざわざ震える声で電話をかけなくても、メールで連絡ができるではないか。「私、こういう者です」という履歴書メールではなく、おもしろいと思った本を選んでレジュメを送ってみよう。大型書店の外国書籍コーナーやAmazonにアクセスすれば、新刊情報を好きなだけチェックして購入することができる。既刊本の中にも、韓国ではまだ出版されていない良書がたくさんあるはずだ。心を込めて書いたレジュメとプロフィールのメールを送れば、編集者の目に留まることもあるのではないだろうか？　翻訳書をたくさん出している出版社は、常にリーダーを探しているからだ。レジュメを送る前に、書店で各出版社の傾向をリサーチしておくのは基本中の基本。せっかくなら自信と関心のある作品を選んでレジュメを作成し、そのジャンルの本を多く取り扱っている出版社を調べて送ろう。

いわゆる〝経験〟をある程度積んだ翻訳者は、リーディングを敬遠する。私も生意気盛りの頃は「私にリーディングを依頼するなんて」と一様に断っていた。「翻訳歴10年を超えたのに、レジュメを書くのはちょっとね」なんて思っていたが、この頃は時間が許せば、ときどきリーディングを引き受ける。私がその話をすると、後輩たちは「先生でもレジュメを書くことがあるんですか？」と怪訝《けげん》そうな顔をする。レジュメは新人時代に書くものという考えが無意識のうちに植えつけられているのだ。しかし、思い上がってはいけない。そんなふうに過ごしていると、ふと気づいたときには仕事が減っている。

最近はリーディングを依頼した相手に翻訳を任せる出版社が増えた。リーディングは新人がやる仕事、という考えは捨てたほうがいい。

## 初めての翻訳料金はどんなふうに決める？　相場は？

お金の話をするのは本当に大変だ。本に関してお金の話をするなんて俗物的に見えるのでははないかと思い、翻訳料金も確認しないまま最初の訳書を出したことはすでに書いたとおりだ。今でも新しい仕事を始めるときに「恐れ入りますが、翻訳料金はおいくらぐらいで……?」と編集者が遠慮がちに言い出すと、つられて冷や汗が流れる。だから「御社ではおいくらぐらいですか?」と聞き返す。思っていた金額とそれほど違わなければ、「あ、ではそれでお願いします」と答える。10秒で話がつくからハッピーだ。しかし、ときには駆け引きが続くこともある。やっぱり〝翻訳料金=プライド〟だから、500ウォンに命……いや、プライドをかけることになる。

でも、もしあなたが翻訳の仕事を始めて間もないとしたら、翻訳料金とプライドを同一視しないほうがいい。私には100ウォン、200ウォンと翻訳料金を上げるために積み重ねてきた年月があるからこそ守りたいプライドもあるが、始めたばかりの段階でプライドを守っていたら食べていけなくなる。勉強になる、修練になる、経験になると思って努力していればキャリアは築かれていく。翻訳料金の交渉をするのはそれからでも遅くない。適正な翻訳料金を支払ってくれる良心的な出版社や翻訳会社のほうが多いが、ときには法外に安い翻訳料金を提示してくる悪徳企業も存在する。翻訳業の人々が集まるインターネットコミュニティに加入すれば、こうした情報を入手できる。痛い目に遭わないように、しっかりリサーチしておこう。プライドを手放すことと、やりがい搾取の被害に遭うのはまた別の問題だ。一般的な相場と比べて、あまりにも安すぎるときは考え直したほうがいい。授業料を払ってでもやりたいという覚悟があるならそれでもいいけれど。

では、適正な翻訳料金とはどれぐらいなのか。一般的に新人の場合、英語は原稿用紙1枚あたり2500〜3000ウォン、日本語は2000〜2500ウォン程度だ。しかし、これは良心的な出版社の金額で、一部の出版社や翻訳会社はおそらくこれより少ないだろう。ただし、出版翻訳の場合は、安いなと思っても、チャンスが訪れたときにありがたく仕事を引き受けたほうがいい。自分名義の翻訳書が何冊か出て、翻訳にも少し自信がついてきたら、500ウォンずつ上げていこう。ただし、毎年500ウォンずつアップできるわけではない。一度値上げした料金がおそらく3、4年、あるいはそれ以上続くことになるだろう。他の物価はどんどん上がるのに、翻訳料金を100ウォン上げるのは本当に難しい。

どの分野でもそうだが、経験が資本となり、経歴が財産となる。1冊でも2冊でも、翻訳書を出したという実績はお金では買えない大きな財産だ。料金の交渉をして、安いからという理由で突っぱねるような愚かなことはしないでほしい。そんな〝まね〟をするのは数年後でもいい。新人だけでなく、数年間ある程度の経験を積んで自信がついてきた人にも気をつけてほしいポイントだ。

## 出版社が報酬を支払ってくれないときは？

私が生まれて初めて呪った相手は、報酬の未払い問題でもめた出版社の社長だ。あまりにも腹が立ち、当時は秋だったが、新年を迎えたら元日に必ず真っ赤な字で呪いの手紙を送ってやる、とかわいい（？）復讐を計画した。しかし、時と共に怒りは薄れ、そんな相手に切手代と時間を使うのがもったいなくなって、復讐をあきらめてしまった。今でもときどき後悔することがある。

まるで不動産屋で将棋を指しているおじさんのようだった彼は（実際、出版社を訪問すると、いつも将棋を指していた）、丸1年も翻訳料金を支払ってくれず、しまいには「半分払ってやる。それで不満ならあきらめろ」と暴言を吐いた。娘ほど年の離れた28歳女性のギャラを踏み倒してまで金持ちになりたかったのだろうか。翻訳の仕事を始めて以来、金額が高かろうと安かろうと支払いが滞ったことはなかったから、それが当然だと思っていた。しかし、それまでは単に運がよかっただけだった。翻訳者仲間も同様で、未払い問題に悩まされることは少なくなかった。

昔は「まさか、もらえないなんてことはないよね」と思いながら、本が出版されてから数カ月は基本的におとなしく待っていた。それでも支払ってもらえないときは、数日かけて心の準備を整え、勇気を出して「あのぅ……翻訳料金を入金していただけないでしょうか？」と電話をかける。すると、相手は払わないとは言わない。「あっ、申し訳ありません。来週までに入金させていただきますね」。歯切れのよい返事を聞いて逆に申し訳なくなり、「お急ぎ立てしてすみません」と言って電話を切る。しかし、翌週になってもお金は入ってこない。知っている人は知っているはずだ。未払いトラブルを起こす出版社は、〝来週〟が何度も過ぎなければ入金してくれないということを。

親しくつきあってきた出版社と支払い遅延でギクシャクしたこともあるが、年を重ねるにつれてお金のトラブルで悩まされることは減ってきた。ここ数年間はほぼなかったと思う。これもネームバリューのおかげなのか、あるいは運よく支払いがスムーズな出版社とばかり仕事をしているのか、正確な理由はわからないが、前者の可能性が高いだろうとうぬぼれていた。しかし、やはり出版界で油断は禁物。一度、これまでに経験したことのないようなひどい目に遭った。

ある出版社と原稿用紙1枚あたり4000ウォンという条件で契約を結んだが、経営状況が厳しいから2500ウォンに下げてもらえないかと打診された。原稿を納品してから半年も経っていたばかりか、この本は出版社の事情で出版できなくなった。2500ウォンに下げるというのは、10年以上前の料金に逆戻りするということだ。訳者にとっての100ウォンがどういうものなのかはすでにお話ししたから、値下げを要求されたときの心情はあえて説明しない。出版社の厳しい懐事情は十分に理解できたが、あきれてものが言えなかった。そもそも買い切り契約というのは、売れても出版社の責任、売れなくても出版社の責任ではないのか。本がベストセラーになってもインセンティブをくれるわけじゃないのに、経営難だから一緒に損をかぶってくれというのは理不尽な話だ。それでも、経営が厳しいと言われたらどうしようもない。ある程度譲歩した金額を提示して、話をつけた。しかし、報酬はいまだに入金されていない。

この一件をきっかけに、初めていろいろな人と報酬の支払いについて話を交わした。こんな状況だがどうしたらいいだろうと相談したところ、某評論家の返答は「あきらめて、今の仕事をがんばってください」。某出版社社長は「忘れるしかないね」。言葉は違えど、意味は同じ？次に、翻訳者仲間と編集者に尋ねた。全員が口をそろえて言ったのは「とりあえず内容証明を送れ。めんどくさくて死にそうだと思われるぐらい督促の電話をかけろ」。あきらめろと言う人は一人もいなかった。双方の異なる反応がおもしろいではないか。

私が被害に遭った出版社からの支払いを2年も待っているという翻訳者仲間は、結局、内容証明を送った。何の反応もなかったそうだ。そこで今度は、督促の電話を毎日かけているらしい。双方にとってつらい状況である。社長はともかく、電話を取る人には何の罪もないのに、毎日督促電話に苦しめられるなんて。締切に追われる翻訳家が毎日電話をかけ続けるのだって、気が休まらず大変なことに違いない。それなのに何の効き目もない。「いやぁ、私にはできそうにないです」と言ったら、「ずいぶん優雅だねぇ。一度、お金を踏み倒されてみたら？」と嫌味を言われた。

「出版社が報酬を支払ってくれないときは、どうすればいいですか？」

もし後輩からこう聞かれたら、私も「内容証明を送りなさい」「督促電話をしなさい」と答えるだろう。前出の出版社は深刻な経営難のせいで無反応だが、よほどの悪徳企業でないかぎりは払ってくれるのではないだろうか？

ずっと昔、支払い遅延のせいでくよくよしていたら、その出版社に勤める編集者が見るに見かねてこっそり電話をくれた。「先生みたいにおとなしくしていたら、どんどん後回しになっちゃいます。やかましい人から優先的に支払われていくものなんですよ。この業界こそ、まさに〝言ったもん勝ち〟なんです」。親切に教えてもらったにもかかわらず、私は性格のせいで督促ができなかったけれど、後進のみなさんにはぜひ覚えておいてほしい。

翻訳料金は、原稿を納品してから一定期間内に支払われる場合と、本が発行されてから一定期間内に支払われる場合がある。原稿納品後にすぐ編集作業が始まれば発行後の支払いでも特に問題はないが、特別な本でないかぎりは短くても数カ月、長ければ数年寝かせてから出版されることもあるので、生活が苦しくなる。出版が遅くなるときはフレキシブルに支払いを早めてくれる会社もあるが、あくまでも〝慣行〟を主張して先払いをしてくれない出版社もある。

しかし「慣行上、発行後でなければ決して支払いはできない」という会社でも、A級あるいは特A級翻訳家（という分類表があるわけではないが）の場合、契約の際に「原稿納品後にすぐ支払ってほしい」と言えば応じてもらえることもある。先日、ある先輩が「いかなる場合も支払いは発行後」のルールで知られ、誰もがそれに従っていた大手出版社に直談判して、原稿納品後の支払いに変えてもらったそうだ。未払いのせいでくやしい思いをしてきたみなさん、コツコツと仕事をして、ネームバリューを上げましょう。

## 難しい作品のオファーが入ってきた！

実にさまざまなオファーが入ってくるが、どんなレベルの作品でも翻訳料金は同じだ。いつだったか、ある後輩が「難しい本のときはもっとギャラを上げてほしいですよね。作業時間が何倍もかかるじゃないですか」と言うので、「じゃあ、簡単な本だったら割り引きしてあげるの？」と言ったらアハハハと笑っていた。

難解な作品の翻訳にはいつもより時間がかかるが、やりがいも大きい。そのやりがいはお金には代えられない。知らない言葉がたくさん出てきて、ひたすら検索と調べものを続けることになるから時間は倍かかるが、とても勉強になる。「こんな本を翻訳したんだ」という達成感が味わえて、もっと難しい本にも挑戦できそうだという自信も芽生える。もちろん、できれば辞書を引かなくてもすらすら訳せる本のほうがうれしい。でも、自分の成長のためには、1年に高・中・低と幅広い難易度の作品を訳したほうがいい。私はこの高・中・低を、勉強のための翻訳・お金を稼ぐための翻訳・ひと休みする翻訳と位置づけている。あまりにも楽な翻訳ばかりしていると、緊張感が薄れていい訳文が出てこなくなるような気がする。だから、難しい本の依頼が入ってきてもひるまずに、限界に挑戦するつもりでじっくり取り組んでみてほしい。こなせる自信がまったくないなら断るのが正解だ。でも、すでに引き受けた仕事ならがんばってみよう。

さあ、難しい作品の翻訳作業が始まった。理解できない文章、知らない単語だらけだ。人それぞれ作業の進め方は違うが、翻訳者仲間Aの場合はその日に終わらせる範囲を決めて、知らない単語や表現をすべてピックアップしてから翻訳に取りかかるという。私はと言うと、とりあえず翻訳を始めて、わからない部分は原語のまま書き込んでおき、1冊の翻訳をすべて終えてから見直しのときに原語の部分を訳す。文脈によって解釈が変わってくることもあるので、私は全体的な流れをつかんでからのほうがやりやすい。ただしこの進め方の場合、一次翻訳は早く終わるけれど、見直しに時間がかかる。Aの方法のメリットは、見直す時間が短縮できるという点だ。最終的にかかる合計時間はどちらも同じなのではないかと思う人もいるかもしれないが、一次翻訳を念入りにやっておいたほうが、作業時間は短くなる。

では、わからない言葉が出てきたときはどうやって調べればいいのか？　まずはインターネット検索だ。しかし、ネットで検索すればすべて解決するというわけではない。知りたいことの半分も見つからないときのほうが多い。そんなとき、私は主に日本の知識検索サービス「Yahoo! 知恵袋」を利用する。ごくまれに韓国サイトの知識検索を利用することもあるが、満足な回答を得られないことが多い。単純な解釈ではなく、日本人だけにわかる単語の意味などは、やはりネイティブに尋ねたほうがいい。

それでも解決しないこと（ネット検索でも見つからず、質問を投稿しても回答がないとき）は、その方面の専門家のサイトにアクセスして質問することもある。たとえば合気道や空手、柔道などの競技用語は韓国語に訳すのが本当に難しいので、専門家にこのような動作は韓国語で何と呼ばれているのか教えてほしいとお願いする。競馬用語を検索していて発見したネットコミュニティやブログのオーナーに問い合わせをしたこともあった。経済に関連した内容であれば、ツテをたどって知人の知人の知人の経済ツウを探し出して質問する。

訳者は外国語を訳すだけではなく、その外国語で語られる政治・経済・社会・文化を理解しなくてはならない。韓国語で読んでも、政治・経済に関する内容は難しいのに……。私は政治・経済や歴史・哲学・科学に弱いので、主に小説を翻訳している。しかし、小説の中にも政治・経済・歴史・哲学・科学に関する内容が出てくることがある。そんなときはとにかく勉強するしかない。そしてときどき「若い頃にこれだけ熱心に勉強していたら、司法試験に合格できたかも」と独り笑いする。奇妙なのは、そこまで一生懸命調べものをして勉強したにもかかわらず、原稿を納品した瞬間、頭の中はまるで嘘のように空っぽになってしまうということだ。

## 翻訳したくない本

「先生ほどのキャリアをお持ちなら、やりたい仕事だけを選んで翻訳をなさるんでしょう？」後輩からこんな質問をされると、答えるのが申し訳なくなる。そうすべきなのに、現実はそうではないからだ。あと20年キャリアを積んでも変わらないような気がする。理由を聞かれたら、「いつ仕事がなくなるかわからないフリーランサーの分際で仕事を選ぶのは失礼でしょ？」と冗談めかして答える。本心だが、冗談めかして話すのは「あの先輩ぐらいキャリアを重ねれば、好きなように仕事を選べるようになるだろう」という彼らの夢を壊すのが心苦しいからだ。

もちろん、依頼を断るときもある。スケジュールが合わないときはやむなく辞退するし、まったく自信のないジャンルの作品はすべてお断りしている。全力を尽くすとしても、完成度の高い翻訳ができるかどうかわからないからだ。まれにだが、翻訳料金が合わなくて断ることもある。どんな場合でもごく丁重にお断りするが、これまでの経験からすると、一度断った会社からは二度と連絡が来ない。だから「有名作家の本じゃないから」「私の好きなジャンルではないから」「あまり売れそうにないから」「本がつまらなそうだから」「本が分厚すぎるから」

といった理由でオファーを断るのは、フリーランサーとしての寿命を縮める行為だ。訳しやすくておもしろい本ばかり選んでいたら、甘いチョコレートとキャンディばかり食べて歯医者に行く子どもみたいになるかもしれない。これは自分の力では絶対に無理だという作品でないかぎり、どんな仕事が入ってきてもきっちりこなすのが能力というものだ。

しかし問題は、「この本は地雷だったな」と気づくのがたいてい翻訳を始めてからだということ。本を最後まで読み終えてから契約を結ぶことはあまりないからだ。他の翻訳家はどうしているのかわからないが、私は編集者から聞いた情報を元にAmazonとYahoo! JAPANで本の内容とレビューを検索するだけ。ときには、作家とタイトルと編集者の説明しか聞かずに契約を交わすこともある。こんなふうに引き受けた仕事のうち、心から気に入る本は10冊中の2、3冊、なかなかいいなと思う本は5、6冊、あとの1、2冊はいまいちだ。もし契約前にじっくり検討して、心から気に入った本だけを翻訳していたら、1年の半分以上を飢えて暮らすことになるだろう。

では、翻訳したくない本とはどんな本なのか？　まずは著者が自分の知識をひけらかそうとして、不必要なほど専門的な知識を書き連ねた本。一日中、調べものをして過ごすことになる。ネットで検索しても解決しないことが多いから、あちこちの専門家に頭を下げて問い合わせをするのに大忙しだ。しかし、こんな本も文章がうまければ許せる。本当に翻訳したくないのは、悪文の本だ。本のおもしろさや教訓の素晴らしさにかかわらず、どんなにうまく翻訳しても〝悪訳〟にしか見えない、才能あふれた原文のことである。文章が下手なのは著者のせいなのに、訳者が非難される。「原著者がこんなふうに書いているからどうしようもないんです」といちいち弁解して回るわけにもいかないし。文句を言われないためには、訳者がリライトまでしなければならないのだろうかというジレンマに陥る。

昔、20代女性が書いた自己啓発書を翻訳したことがある。当時の翻訳料金は原稿用紙1枚当たり3000ウォンだったが、原稿用紙500枚にも満たないその本を訳すのに2カ月近くかかった。ときどき、翻訳をしながら「こんな本の版権を取得するなんて、出版社はいったい何を考えているのだろう」と思うことがある。小説の場合はエージェンシーから送られてくるもっともらしいレビューに釣られて、自己啓発書は華やかなタイトルと目次に騙されてのことが多いようだ。この本もそうだった。目次だけ見るとおもしろそうだが、本文はずっと同じ話が繰り返され、文章は稚拙で、どんなに工夫して訳しても格好がつかない。しまいにはその本を見るのもイヤになり、ちびちび訳して、500枚以下の分量に2カ月も費やしてしまった。2カ月分の収入が150万ウォンにも満たなかったことになる。

あるときは、翻訳を引き受けた小説があまりにもつまらないので、3分の1ほど訳した時点で担当者に原稿を送って言った。「ここまでの翻訳料金と著者への印税前払い金は無駄になりますが、この本の出版は取りやめたほうがいいのではないでしょうか？　出版されても買う人はいないような気がします。学びもないし、おもしろみもなくて……制作費がもったいないと思います」。

もしかしたら余計なお世話かもしれない。リーディングではなく翻訳を依頼されたのだから、おもしろかろうがおもしろくなかろうが、訳して納品すればいいだけなのに。出版が中止になれば、私も痛手を受ける。仕事が少ない時期だったからなおさらだ。でも最低限の良心というか、本を最初に読んだ読者として、また翻訳者として、この程度の意見は言っておいたほうがいい気がした。いずれにしても、原稿を読んで最終的な決定を下すのは出版社だ。出版社が大丈夫だと言うなら、そのまま進めればいい。結局、この作品は社内でもおもしろくないと判断されたらしく、作業は中断された。

ところが何の因果か、後日、他の出版社から再びこの本の翻訳依頼が入ってきたではないか。もちろんこれまでのいきさつを話したが、出版社側はそれでもかまわないと言うので翻訳をした。結果は？　有名作家だから彼の本はほぼすべて世間の話題を呼んだが、この作品だけはプロフィールにも載っていない。言うまでもなく、ずいぶん前に絶版になった。表紙までパッとしないから、本棚に並べておくのもつらい。韓国内で知名度が上がると、作品の質にかかわらず、その作家のデビュー作からの全作品を翻訳出版するという風潮にはちょっと問題があるのではないかと思う。その風潮のおかげで生活できているくせに、こんなことを言うのはおかしいけれど。

たとえ翻訳したくない本であっても、脱稿するまではベストを尽くさなければならない。早く手放そうとして校正作業をいい加減に済ませたりすると、思いもよらないミスが発生する。私たちの仕事は本という形になるから、手抜きの証拠が残ってしまうのだ。

## 仕事が途切れたとき

以前は、つまり翻訳家歴10年目までは、仕事が2件以上重なることはあまりなかった。だから、1冊の本を訳し終えると、まるで敬虔な儀式のように使っていた机を片付け、床に散乱した辞書をきちんと本棚に戻していた。仕事を終わらせたというすがすがしさと、次の仕事はいつ入ってくるだろうかという不安が交差する瞬間だ。作業をしている間は、締切が終わったらあれをしよう、これもしようとやりたいことが10個以上浮かんでくるが、いざ原稿を納品すると、仕事がないという焦りで何も手につかなくなる。読みたかった本を読み、それまでかまってあげられなかった子どもと遊びながら次の仕事が入ってくるまでの時間を楽しめばいいのに、それができなかった。〝暫定失業者〟の不安と焦りに埋め尽くされていたのだろう。本当にもったいないことをした。

10年目を超えると、仕事が絶え間なく入ってくるようになった。1冊訳し終えたら、2日ほど甘い休息を取って次の仕事に取りかかる。これから訳す本が積み上がっているのを見るだけで幸せだった。仕事はどんどん忙しくなった。締切が終わっても、1日どころか数時間ゆっくりする暇もない。翻訳家は一人企業だ。自分が社長であり、社員である。誰かに「この仕事が終わったら、すぐにあの仕事を始めて！」と命令されたとしたら、「私は機械じゃないのよ！1カ月間がむしゃらに働いたのに、休みもくれないわけ？」と反発したかもしれない。きっと数カ月で辞めていたことだろう。しかし、私は社長。自分の判断で働いているのだから、不満などあろうはずもない。退勤時間も休日もない悪徳企業だが、辞めたい気持ちはみじんもない。約束があって休みたい日があれば、比較的時間に追われずに働ける一次翻訳の期間に休めばいい。24時間翻訳ばかりしているわけじゃないから、本が読みたければ適当に時間を作って読めばいい。死んでも働きたくないという気分になったら、その日を休日にすればいい。

ときどき芸能人がトーク番組に出て、超売れっ子の時期に天狗になったせいで干され、人気が凋落したエピソードを告白することがある。それとは比べ物にならないが、知名度が上がって仕事がひっきりなしに入ってくるようになり、生意気になっていた時期が私にもあった。リーディングを依頼する電話がかかってきたら「ちょっと。私にリーディングを依頼するなんて」とムッとして（表向きは笑いながら「忙しい」と言い訳するが）、翻訳料金が安ければ断っていた、そんな時期。生意気な態度ばかりか、マンネリ状態に陥って成長もなく、校正紙はざっと見るだけという不誠実さまで三拍子そろった蛮行を繰り返し、フリーランサーとしての寿命を縮めていた。自覚はなかった。これまでと同じように過ごしていると思っていた。だんだん仕事が減ってきたのは、優秀な後輩がたくさん出てきたからだと思っていた。そうこうしているうちに、ついに！　仕事が途切れた。後輩に「先生は今、これから訳す本が何冊ぐらい溜まってますか？」と聞かれたら、にっこり笑って「企業秘密よ」と答えていたが、実は翌月からの仕事がなかった。

これまで必死に駆け抜けてきたんだから、倒れたついでに休んでいこう。そう考えることにした。しかし実際は、どうしてこんな有様になってしまったんだろうというはてしない自己批判とスランプに苛まれていた。桜のシーズンだったから、生まれて初めて「お花見に行こうよ」と母を誘ったが、「忙しいんやから、お母さんに気ぃ遣わんと仕事して」とあっさり断られた。気づけば私は、年中忙しい人という印象を周囲に植え付けていた。友達から遊びに誘われても「締切があるから」、集まりがあっても「締切があるから」、編集者に会おうと言われても「締切があるから」。毎月1冊ずつ訳すのでいつも締切に追われてはいたが、時間を作ろうと思えば作れたのに、私の世界は〝娘と仕事〟だけだったから、それ以外のすべてを遠ざけて生きてきた。それなのに、私の世界の半分である仕事が途切れたのだ。

思いがけずぽっかり空いた時間を読書で埋めながら反省した。これからはどんな仕事でも最後の機会だと思ってがんばろう、謙虚に翻訳をしていた初心に返ろう……。

そんななか、これまで取引がなかった出版社からリーディングのオファーがあった。以前なら「あら、仕事がかなり立て込んでいるので申し訳ありません」と断っていたが、即座に引き受けて、すぐにレジュメを作成して送った。すると数日後、レジュメのサンプル翻訳がとてもよかったからと、版権取得済みの別の作品の翻訳を依頼された。こうして、5年ぶりの春窮期［前年に収穫した作物の蓄えが尽きて、食糧がなくなる晩春の時期］は20日で終わった。それ以来、仕事が途切れたことはない。私は無神論者だが、あのときのことを思うと神様は本当にいるのかもしれないという気持ちになる。あるいは、古い表現だが、祖先神が助けてくれたのかもしれない。考えなしに突っ走る私に足をひっかけて転ばせて、この仕事で食べていくならもっと腰を低く、もっと学んで、もっと誠実であれという愛ある警告をしてくれたのかもしれない。

最近、周囲を見回すと、仕事がないとため息をついている後輩たちが多い。数年前に比べて日本小説の人気が停滞しているせいもあるが、為替レートが高いうえに前払い印税の金額がどんどん上がって、契約件数がかなり減ったことが影響しているようだ。しかし出版社は今も日本の書籍の翻訳権を取得しているし、一部の翻訳家は何本も仕事を抱えている。だから、こんなことを言うのは心苦しいけれど、仕事がないのは実力が足りないせいかもしれない。前述したように、何度かおざなりに校正作業をしたら、たちまち仕事が途切れた。それまで築き上げてきたキャリアも知名度も無価値になった。翻訳は〝実力、名前、学閥。なかでもいちばん大切なのは実力〟という世界だ。

仕事がないときは、ひたすら読んで、書いて、勉強すること。なにげなく読んだ本、書き散らした文章が積み重なって、必ずや次の翻訳を輝かせてくれるはずだ。焦りともどかしさのせいで、のんびり活字を楽しむ心の余裕がないのはわかる。でも、何もしなければ、ぽつりぽつりと入ってきている仕事までなくなってしまうかもしれない。読んだり書いたりする合間に、これまで一緒に仕事をしたことのある編集者にご機嫌うかがいのメールを送って、自分の存在を思い出してもらうのも有効だ。ただし、仕事がなくて死にそうです、と愚痴をこぼすような内容ではいけない。明るくさわやかでエネルギーに満ちたポジティブな文面が相手に好感を与えるということを忘れないでほしい。返事をくれない編集者もいるだろうけれど（おそらく半分ぐらいは）、傷ついたりしないで、忙しいせいだと考えること。

長い間ずっと仕事が入ってこないなら、将来について真剣に見直す機会だと考えて、転職を検討するのもひとつの手だ。

## 持ち込み企画が通過した後に注意すべきこと

出版社に企画書（またはレジュメ）を送って、出版にこぎつけるというのは簡単なことではない。私が企画書を送っていた頃はまだ日本小説が本格的なブームを迎える前で、韓国では知られていない素晴らしい作家と作品が多かったから成功率がそこそこ高かったが、最近はめぼしい本は出版と同時にエージェンシー経由で出版社に売り込まれるので、企画のネタを見つけるのが難しい。

新人作家の本は売れる保証がないし、有名作家の本はデビュー作からの全作品が契約済みかすでに出版されていて、何かの文学賞の受賞作は発表されたとたん版権獲得競争が激しくなって……個人が入り込む隙がない。しかし小説ではなく、自己啓発書やその他のジャンルなら少しは可能性があるのではないかと思う。Amazonの売れ筋ランキングをこまめにチェックしてほしい。ここもすでに勤勉なエージェンシーのみなさんがすでにチェック済みだとは思うが、契約前であれば誰でも企画を持ち込むことはできるから。

日本小説の情報なら、月刊誌『ダ・ヴィンチ』がおすすめだ。注目の新人作家の情報と、精力的に活動する作家の最新作をチェックすることができる。ここで得た情報を元に話題の新人作家の本を購入してブログやSNSに書評をアップしておけば、その作家に興味を持った出版社が発見して翻訳のオファーをしてくるかもしれない。『夜のピクニック』を翻訳したとき、韓国の検索エンジンで〝恩田陸〟について調べていたら、詳細な情報が書かれたブログ記事が1件だけヒットした。編集者もきっと検索中にそのブログを発見したはずだ。そこには、これから韓国で翻訳出版される予定の作品もくわしく紹介されていた。そのブログのオーナーに次の作品の翻訳オファーが入るのは、当然の成り行きと言えるだろう。

着々と準備を進めている人には、必ずチャンスが訪れる。興味のある言語圏の出版情報が掲載されたメディアを常にチェックしておこう。

あれ？　企画を持ち込んで大失敗したエピソードを書こうと思っていたのに、話が脇道にそれてしまった。自分で企画を持ち込まないと仕事がなかった頃の話だ。13年ほど前、とても貧しい暮らしを送っていた私は、ふと名案を思いついた。恋愛本を買ってきてつぎはぎの恋愛エッセイ本を作ったように、今度は怪談の本をたくさん買ってきて、とびきり怖い話を集めた納涼ホラー小説を作ってみよう！　こんなアイデアだ。当時の出版界では小学生向けのホラー小説がベストセラーになり、飛ぶように売れていた。

私はこの案をまず、知人に紹介された顔見知りの出版社社長に電話で説明した。社長は、すごくいいアイデアだ、早速やりましょうと言った。そこで、急きょビザを取って日本へ出張することになった。私としては、企画にゴーサインをもらって出張までするのだから、本を購入する費用ぐらいは出版社が支給してくれてもいいんじゃないかなと思ったが、そんな話はまったく出なかった。行ってこいという数回の電話だけ。そのうえ残念なことに、私は仕事を始めるときは〝契約書〟というものを書くべきだという常識を持ち合わせていなかった。いや、ちらっと頭に浮かびはしたけれど、「まさか、働かせておいて知らん顔はしないでしょ」と社長を信じることにした。それに、まだアイデアを出しただけ、作品の形も見えていないのに契約書を交わそうというのもおかしな話かも、と相手の立場になって考えた。

大型書店と古本屋をしらみつぶしに回り、怪談本を20冊〜30冊ぐらい買ってきた。帰宅するやいなや社長から電話がかかってきた。帰ってくる日がはっきりわからなかったから、何度も電話をかけたという。社長もかなり期待していたのだ。そして、夏になる前に急いで本を出そうと言われた。お金もないのに出張までしたから、急ぎなのは私も同じだった。早く仕事を済ませて、元を取らなくちゃ。その日から熱心に本を読み、1冊分に相当する内容をセレクトして翻訳を始めた。

ついに翻訳が完成し、原稿を送った。フロッピーディスクで郵送していた時代だ。ところが、1週間、半月が過ぎても何の連絡もない。検討中なんだろうな、と思った。1カ月経っても連絡がないので、やむなく電話をかけた。社長が不在だからわからないと編集者に言われた。やがて社長と連絡がついたが「まだ検討中」と言われた。こんなやりとりがなんと3カ月も繰り返され、そうこうしているうちに夏は去った。腹が立った。原稿が気に入らないなら返却してくれれば、手を入れて他の出版社に持ち込めたのに。原稿についてノーコメントのまま何カ月も引っ張るなんて……。最初にアイデアを伝えてから原稿を送る直前まではずいぶん乗り気だったのに、がらりと態度が変わった。

良好な関係を維持したくて文句ひとつ言わずに耐えていたが、こちらから「フロッピーディスクを返してください」と言うと、待っていたかのようにすぐ返送されてきた。1カ月の生活費に相当する出張費をどぶに捨て、数カ月を無駄にしてしまった。おそらく、怪談がそれほど怖くなかったせいだろう。出版社が私の企画に賛同して仕事を進めることになったとき、契約書を交わして契約金をもらっていたら、最悪の事態は回避できたはずだ。世間知らずだった。

あまり思い出したくない出来事ではあるが、後進のみなさんに〝契約書〟の重要性を今一度お伝えしたくて、カビくさい昔話を引っ張り出してきた。いまだに契約書を交わさない出版社があるのかわからないが、規模の小さい会社や親しい間柄では〝堅苦しい〟契約書など交わさずにお互いを〝信頼して〟仕事を進めることもあるだろう。そんな場合でも、契約書は必ず交わしてほしい。公私を混同したら、何もかも台無しになってしまうかもしれない。

前述のようなまぬけなケースでは、契約書どころか、印税や翻訳料金の話もまったく出なかった。仕事を始めるときは、少なくとも報酬や条件については十分に話し合っておくべきだ。この本はどれぐらいのボリュームになるのか、原稿料は買い切りなのか印税なのか、企画料はいくらなのか、など。当時は頭の中でこんな質問を繰り返すだけで、口には出せなかった。無事に本が出版されていたとしても、こうした問題のせいでくやしい思いをしたかもしれない。

このケースを見れば、細かく説明しなくても、企画が通過して仕事に着手するときに注意すべきポイントがわかると思う。「先人の失敗から学ぶことは多い」というのは、こういうことなのだろう。

# コラム 翻訳料金について

## 買い切りと印税

翻訳料金には、買い切りと印税がある。買い切りとは、原稿用紙1枚あたりの値段を決めて、出版社が翻訳原稿を買い取ることを言う。売れそうな本は印税でもらって、あまり売れそうにない本は買い切りでギャラをもらえたら訳者にとって有利だが、世の中そんなに甘くない。まず、訳者に選択の権利をくれる出版社はあまりない。印税か買い切りかを好きなように選べる訳者はせいぜい数人だ。だから、たいていは出版社に提示されたとおりに従うことになる。自分は実力もあって知名度も高いから希望する条件を提示したいという人は、うまく交渉をしてほしい。実際に実力と知名度が高く、出版社が「ぜひこの訳者に依頼したい」と思っていたら、聞き入れてもらえるのではないだろうか。ただし実力と知名度が単なる自己評価に過ぎないときは、取引先を一つ失うことになるかもしれないからご注意を。

翻訳料金の印税率は3%~6%だが、6%くれる会社は良心的。たいていは4、5%である。新人は2%という出版社もある。ちなみに、日本の翻訳印税は8%だ。近年は出版不況で6、7%のところが増え、駆け出しの場合は4%のときもあるという。つまり、韓国の中堅翻訳家は日本の駆け出し翻訳家と同じか、より低い待遇を受けているのである。

何割ぐらいの出版社が印税で契約を結んでいるのかはわからないが、私の場合は取引先の9割が買い切り契約だ。買い切りか印税かを選べる出版社と契約するときは、5分ぐらい悩んでから買い切りを選択する。印税を選んだ場合、原稿用紙1000枚分の本が定価1万ウォンで発売されたとして、4%基準で1部あたりの印税は400ウォン。1万部売れて、やっと400万ウォンになる。本が1万部売れるというのは簡単なことではない。でも、買い切りなら最低でも400万ウォンはもらえるから、素直に買い切りを選ぶ。

売れるか売れないかわからない本だが、「いちかばちかだ」という気持ちで印税を選択したことがある。そんなふうに契約した本は多くないけれど、買い切り原稿料以上の印税をもらったことは一度もない。初版部数は何部なのか、実売部数は何部なのかすら知らせてくれない出版社もあった。印税契約に慣れていない翻訳者は、部数をしつこく問いただしたら出版社を疑っていると思われやしないだろうか、失礼なのではないだろうかと考えて、聞けずじまいになってしまう。「売れてないから印税が入ってこないんだろう」と自分に言い聞かせながら。だから私は気楽な買い切りを選ぶ（印税契約を選べる取引先は1割以下だから、迷う機会もあまりない）。

買い切りの場合は本が売れなくても契約時に決めた翻訳料金を支払ってくれるが、本がベストセラーになったとしても金額を上げてくれるわけではない。損をするのも得をするのも出版社だ。大ベストセラーになったときは、訳者としてはちょっと惜しいことをした気分になるが、本が売れれば売れるほど訳者も有名になり、有名になれば仕事も増えるから、印税契約ではないことをそこまで残念がることはない。印税であれ買い切りであれ、たくさん売れさえすればありがたい（……と思っているが、ときどき1冊の本で私の年収ぐらいの印税をもらったという翻訳家の武勇談を聞いたときは、ハァ……）。

誰もが認める国内最高の翻訳家は、印税前払い金として買い切り原稿料に相当する金額を保証してもらったうえで、印税契約を結ぶらしい。『人間失格』の作家、太宰治はこう嘆いた。

「ああ早く、一枚三円以上の小説ばかりを書きたい」

ああ早く、私も原稿用紙1枚あたり6000ウォン以上の翻訳ばかりをしたい。

## 翻訳料金を上げる

翻訳の仕事は、性別や年齢による差別がないところがとても魅力的だ。一般の職場は男性のほうが高いお給料をもらえて昇進も早いとか、年をとると居づらくなってリストラのターゲットになると聞くけれど、この業界では考えられない話だ。ある意味では、学力による差別もない。大卒の翻訳料金はいくらで、大学院卒ならいくら、留学経験者ならいくら、といった違いはない。「何言ってるの。私は大卒だからこれぐらいだけど、留学経験のある人はもっともらってるよ」という新人翻訳家がいるかもしれない。それは留学経験があるからではなく、その人のほうがより実力が高いということだ。翻訳料金を決めるものは実力とキャリアしかない。

私の経験から言うと、「きみは翻訳が上手だから（あるいは、長くやっているから）もっとたくさん払うよ」と出版社が気を利かせて料金を上げてくれたことはない。翻訳料金は自分で上げるものだ。ただし、実力に見合わない値上げを要求しても仕事がなくなるだけだから気をつけてほしい。似たような経歴の同業者がどの程度もらっているのか、相場を把握することが重要だ。自分の実力と知名度が彼らよりずっと高いと思うなら少し上げてもらい、多少は上かなと思う程度なら今の料金を維持しよう。100ウォン、200ウォンに命を懸けて反感を買っても何の得にもならない。さりげなく値上げ交渉を持ちかけてみて、反応がいまいちだったら「あはは、じゃあ次から上げてくださいね」と適当に流したほうがいい。一歩間違えば、数百ウォンの値上げ交渉が原因で失業者になりかねない。

翻訳料金を上げるときは、取引のある出版社にいきなり「これからは500ウォン上げてください！」と言ってもあまりうまくいかない。これまで楽しく仕事をしてきたのに、お金の話をしたせいで気まずくなるのも実に残念だ。そろそろ上げてもいい頃かなと思ったら、新規取引先の出版社から仕事が入ってきたときに少し高めの翻訳料金を提示する。その料金でOKが出たら、他の新規取引先にも同じ金額を提示しよう。値上げした料金を承諾してくれる会社が増えてきたら、これまで仕事をしてきた出版社にも慎重に値上げを依頼する。ただし、出版社ごとに翻訳料金のボーダーラインがあるから、上げ続けるのは大変だ。特A級の数人を除いて、売れている翻訳家のほとんどがそのボーダーラインにひっかかっている。だからうかつに値上げを要求すると、「あの先生方でもこの料金なのに何を考えているんだ」と思われてしまうかもしれない。どんな場であれ、うまく空気を読むことが重要だ。

# 第3章

# 翻訳の実際

# 解釈と翻訳の違い

日本文学の翻訳を勉強している方々のために、知っておくと役立つノウハウをささやかながらいくつかお伝えしたい。翻訳マニュアルではないので、簡単すぎたとしてもがっかりしないでほしい。

私がいちばん好きな小説『悼む人』の冒頭から、一部を引用してみる。

### 日本語原文

求めていらっしゃるのは、この人ではないでしょうか。

一年前の六月三十日の夜明け前、わたしは両親に気づかれないよう靴下のまま玄関ドアを開け、外へ出てから靴をはき、深い藍色におおわれた空の下を、早足で駅へ向かっていました。

わたしの生まれた街は、自動車メーカーの関連産業が集まってひらけた都市を中心に、放射線状に延びたベッドタウンの一つです。駅前には、ビルや商店が立ち並び、朝夕は大勢の人で混雑します。二年前の春まで通っていた高校は、電車で二十分ほど先の場所にあり、わたしは親友と駅で待ち合わせて、通学していました。

——天童荒太『悼む人』（文藝春秋、２００８年）

原文どおりに解釈すると、次のようになる。

解釈

찾고 계신 것은、 이 사람이 아닐까요。

일 년 전의 6월 30일 동트기 전、 나는 부모님이 눈치채지 않도록 양말을 신은 채 현관문을 열고、 밖으로 나온 뒤 신발을 신고、 짙은 감색으로 덮인 하늘 아래를、 빠른 걸음으로 역으로 향했습니다。

내가 태어난 마을은、 자동차 메이커 관련 산업이 모여서 펼쳐진 도시를 중심으로、 방사선상으로 뻗은 베드타운 중 한 곳입니다。 역 앞에는、 빌딩과 상점이 늘어서 있고、 아침저녁에는 많은 사람들로 혼잡합니다。 이 년 전 봄까지 다녔던 고등학교는、 전철로 이십 분 정도 가는 곳에 있어、 나는 친구와 역에서 만나、 통학하고 있었습니다。

探していらっしゃるのは、この人ではないでしょうか。
一年前の6月30日の夜明け前、私は両親が気づかないように靴下をはいたまま玄関のドアを開けて、外に出てから靴をはき、濃厚な紺色におおわれた空の下を、早い歩みで駅へ向かいました。
私が生まれた街は、自動車メーカー関連産業が集まって広がった都市を中心として、放射線状に延びたベッドタウンの中の一カ所です。駅前には、ビルと商店が立ち並んでいて、朝夕には多くの人々で混雑します。二年前の春まで通った高校は、電車で20分ほど行ったところにあり、私は友人と駅で待ち合わせて、通学していました。

日本語をそれなりに勉強したことのある人にとっては、ちっとも難しくない文章だ。この程度の解釈は朝飯前だろう。この文章が訳者と編集者の手を経て、本として発売されたときはどんなふうに変わるのか見てみよう。

**翻訳**

혹시、이 사람을 찾고 있나요?

일 년 전 6월 30일 아침 동트기 전, 나는 부모님이 깨지 않게 양말 바람으로 살그머니 현관문을 열고 나와 밖에서 신발을 신었습니다. 그리고 짙은 감색으로 뒤덮인 하늘 아래 역으로 걸음을 재촉했습니다.

내가 태어난 곳은, 자동차 관련 산업체가 모여 있는 도심에서 방사상으로 뻗은 베드타운 중 한곳입니다. 빌딩과 상점이 즐비한 역 앞은 아침저녁으로 꽤 혼잡합니다. 이 년 전 봄까지 다녔던 고등학교는 역에서 전철로 이십 분 거리여서, 나는 친구와 역에서 만나 같이 등교했습니다.

——덴도 아라타 『애도하는 사람』(문학동네, 2010)

ひょっとして、この人をお探しですか?

一年前の6月30日の夜明け前、私は両親が起きないように靴下姿でひそかに玄関のドアを開けて出て、外で靴をはきました。そして濃厚な紺色におおわれた空の下(　)駅へと歩みを早めました。

私が生まれたところは、自動車関連の産業体が集まる都心から放射状に延びたベッドタウンの中の一カ所です。ビルと商店が並んでいる駅前は朝夕かなり混雑します。二年前の春まで通った高校は駅から電車で20分の距離なので、私は友人と駅で待ち合わせて一緒に登校しました。

〜〜 ――天童荒太『哀悼する人』（文学トンネ、２０１０年） 〜〜

間違い探しをするときのように、二つの訳文の違いを探してみてほしい。明らかに同じ内容ではあるけれど、だいぶ違いがあることがわかるはずだ。

「찾고 계신 것은、이 사람이 아닐까요（探していらっしゃるのは、この人ではないでしょうか。）」は、「혹시、이 사람을 찾고 있나요?（ひょっとして、この人をお探しですか?）」に変わった。解釈と翻訳の違いだ。読点の位置も変わり、クエスチョンマークが加わった。日本語ではクエスチョンマークをあまり使わない。だからといって、翻訳文にもつけなくていいというわけではない。韓国語に変えたときに、クエスチョンマークが必要な文章であれば追加する。「부모님이 눈치채지 않도록（両親が気づかないように）」は、「부모님이 깨지 않게（両親が起きないように）」に変わった。〝気づかれる〟はふつう〝눈치채다（気づく）〟と解釈する。そう訳してもかまわないが、状況に合わせてよりふさわしい単語に変えると文章がなめらかになる。「양말을 신은 채（靴下を履いたまま）」は「양말 바람으로（靴下姿で）」に変わり、自然な韓国語になった。こんなふうに一つずつ見比べてみよう。

「역 앞에는、빌딩과 상점이 늘어서 있고、아침저녁에는 많은 사람들로 혼잡합니다（駅前には、ビルと商店が立ち並んでいて、朝夕には多くの人々で混雑します）」が「빌딩과 상점이 즐비한 역 앞은 아침저녁으로 꽤 혼잡합니다（ビルと商店が並んでいる駅前は朝夕かなり混雑します）」になった。

説明をしなくても、何か感じ取れるものがあると思う。読点を取り、単語の順序を変えて無駄な言葉を省いたことによって、文章がすっきりした。日本語の文章には読点がかなり多い。でも、韓国人はなるべく読点を省く傾向にある。原文では読点が12回使われているが、翻訳文では三つになった。私もできるかぎり読点を減らしたが、編集者がさらに減らしたようだ。文章がごちゃごちゃして見えるので、読点は必要最小限にとどめる。日本語を翻訳するとき、特に気を遣わなければならない点だ（ただし、児童書を翻訳するときは、もともとついている読点を決して削ってはいけない）。

私は昔、作家の息づかいを生かさんとばかりに、読点をすべて原文どおりに訳したことがある。原著者があえて文節ごとに読点を打っていたからこそそうしたわけだが、いざ本になってみるとやはり読点が邪魔になって読みづらかった。もしその作品をもう一度翻訳することになったら、読点について再び葛藤するだろうと思う。

次に、「현관문을 열고、〔中略〕신발을 신고、～（玄関のドアを開けて、〔中略〕靴をはき、～）」と動作が羅列された文章が「신발을 신었습니다。（靴をはきました。）」までで区切られた点に注目してほしい。作家によって異なるが、日本小説はたいてい一文が長めだ。しかし、韓国の編集者たちは長い文章を嫌う。本を作るときはどうしても〝可読性〟が最優先になるから、やむを得ないとは思う。読者は、読むのに時間がかかる文章を好まないのだ。私もその点を考慮して文章を短く区切ることがあるが、だからと言ってずっしりとした長文をひたすらブツブツ

切って軽快にすればいいとは思わない。訳者が区切った文章を編集者がさらに短く切ったら、その作家ならではの文体が消えてしまうのではないだろうかと心配になる。とはいえ、訳者は翻訳をする人で、編集者は本を作る人だ。区切るにしろ接続詞を加えるにしろ、それは編集者の管轄だと思う。私は翻訳原稿を納品した後は、専門家である編集者の意見に全面的に従う主義だ。ただし、意味を取り違えて修正された箇所や、区切り方がおかしい部分、不適切な接続詞の追加は、訳者校正のときに必ず訂正する。

作家の個性的な文体である場合は別として、前述の例のように長い文章はなるべく簡潔にしてあげたほうがいい。「～して（～하고）」は「～했다。그리고（～した。そして）」に、「～したが（～한데）」は「～했다。그런데（～した。ところが）」というふうに。これは単なる文章整理なので、作家の文体にそこまで大きな影響を及ぼすことはない。

それから、単語を必ずしも原文どおりの順序で訳そうとしないこと。かつて、作家の雰囲気と文体をそっくりそのまま伝えるべきだという信念で直訳を好んでいた私は、単語の位置すらなるべく変えないようにしていた。しかし、それは翻訳ではなく、解釈だ。作家の雰囲気と文体を伝えるどころか、自分の実力不足を披露していたようなものである。日本語の文章は倒置が多いから、語順をうまく整える必要がある。特に、主語が後ろのほうに出てくる場合が多いので、なるべく前に持ってくるようにしよう。

引用した例文中には出てこないが、日本小説でよく使われる単語に「彼／彼女（그／그녀）」

がある。ずっと昔、出版社から送られてきた校正ルール表に「그/그녀は必ず他の単語に変更すること」と書かれていた。それを見るまで意識したことがなかったが、なるほどと思った。

日本語では、父親と母親はもちろん、祖父と祖母にも「彼/彼女」という人称代名詞を使うことが多い。兄、姉、妹、弟もすべて「彼/彼女」だ。日本語に慣れ親しんでいる人はあまり抵抗を感じないかもしれないが、両親を「그/그녀」と訳すのは正しくない。「彼/彼女」が出てきても、そのまま「그/그녀」と直訳しないように意識する習慣をつけておこう。代名詞が指している人物が「父/母」なら「아버지/어머니（父/母）」と訳し、家族以外のときは人物名に変えてもいい。

とはいえ、「그/그녀」を完全になくすのははっきり言って不可能だ。代名詞だからこそ生きてくる文章もあるし、何度も出てくる人物にまったく代名詞を使わないのもやや不自然だ。でも、原則として「彼/彼女」は直訳しないようにする、という意識は持っておこう。

# 直訳と意訳の間で

村上春樹は有名な小説家だが、素晴らしい翻訳家でもある。レイモンド・カーヴァーを好み、彼の小説を翻訳している。「プロの翻訳家から作家に『転身』した人々を別にすれば、僕くらいたくさんの翻訳をこなしている現役の小説家は、ちょっといないのではないかと思う」とさりげなく自負をのぞかせる村上春樹。

彼は小説を書き終えると、翻訳がしたくなるそうだ。小説を書くときは右脳を使うから、左脳が自然と翻訳を求めるらしい。創作と翻訳を自由自在にこなすマルチな頭脳がうらやましいかぎりだ。

村上春樹は自分の作品を英語に訳している人のうち、好きな翻訳者が2人いる。1人は好きなように削ったりもしながら自由自在に訳す人で、もう1人は厳密に直訳する人だという（村上春樹さん、私は後者です）。両者を公平に評価しつつ、自身は「僕は翻訳者としてはどちらかといえば逐語訳です。……一語一句テキストのままにやるのが僕のやり方」だと語る。「そうしないと僕にとっては翻訳をする意味がないから」だという。

ところが、自分の作品の訳文に対しては寛大だ。「細かいところが多少違っていたって、おもしろきゃいいじゃないかと僕も思います」。文章を部分的に削ったりされてもいいけど、「増やされるとさすがにまずいですよね」。村上春樹の文章を削る翻訳家なんて存在するのだろうかと思ってしまうが、そういう人もいるらしい。村上春樹は翻訳された自著について、誰かに「ここがスポッと抜けているけど、いいんですか」と聞かれるまで、その部分が抜けていることに気づかない。自分が書いた小説をまったく読み返さないから、何を書いたのか忘れてしまっているのだという。書き終わった本を読み返さない理由について、彼はこんな的を射た表現を使った。「脱いだ自分の靴下の匂いをかぐときのような気がして」。

柴田元幸との対談集『翻訳夜話』に出てくる話だ。翻訳に携わる人間として、どの言葉にも心から共感したし、特に一語一句を原文のままに訳すところや、書き終わったものをほとんど読み返さないというスタイルは、私とまったく同じでうれしくなった。

約10年前、ある出版社に行ったとき、編集主幹が有名作家の小説を差し出しながらこんなことを言った。がらっと書き換えてもいいから読みやすいように翻訳してくれ、と。今以上に一語一句を忠実に訳そうと命を懸けていた時期だったから、その指示に衝撃を受けた。「もしかして、最近の日本小説は全部書き換えられているから読みやすいのかな?」。そんな疑いが頭をよぎった。同時に、編集者と読者はなめらかな意訳を望んでいるのに、一語一句をそのまま訳すことにこだわる必要があるのだろうかという迷いも生まれた。もちろん、指示されたように書き換えたりはしなかった。ラジオの部品を分解する人は、再組み立てができるからこそ分解するのだ。組み立てもできないのにむやみに分解したら、ラジオはゴミ箱行きになってしまう。有名作家の小説を好き勝手に書き換えてゴミにするわけにはいかない。結局は〝意訳〟を意識した〝直訳〟をしたが、いい翻訳だと褒められた。

直訳と意訳はどちらが正しいというものではなく、訳す人の好みだと思う。「ルックスがいい人と性格がいい人、どっちがいい？」という質問に似た、二者択一の問題だ。でも、イケメンや美人ならたいていのことが許されるように（？）、編集者や読者も硬い直訳よりはなめらかな意訳を好む。日本小説がブームになった理由の一つは、なめらかな意訳のおかげで翻訳小説への拒否感がなくなったからだという意見もある。そういう話を聞くと、正直ドキッとする。最近は私も世間の好みに従って意訳を意識するようにはなったとはいえ、いまだに作家が選んだ単語の一つひとつにこだわるほうだ。編集者が赤字を入れた校正紙を見ながら、「作家は理由があって、この単語を使ったはずなのに」「ここにはあえて読点をつけてあるんだと思うけど……」と悩んでしまうことがある。そんなときは、読者のために編集者の修正に従うべきか、作家のメッセンジャーとして私の意志を貫くべきか、激しい葛藤に苦しめられる。「ルックスがよくて性格もいい人を選べばいいじゃない！」と思う人もいるかもしれない。アハハ、たしかに。でも、国内小説のようにすらすら読める直訳というものは可能なのか、作家の単語を一つも削らない意訳は可能なのか、よくわからない。

## 部品か？　ビニール袋か？

私もそうだったけれど、誰しも初めて翻訳をするときは、一字一句もれなく原文どおりに訳すべきだと考える。たしかにはじめから勝手にあれこれ削ろうとするよりも、基本に沿って訳すのが正しい姿勢ではある。ただし、これまで読解だけをやってきた初心者の問題は、読解と翻訳の違いを知らないということだ。解釈が正確だからといって翻訳がうまいということにはならない。辞書的な意味だけに縛られると、いい翻訳をすることはできない。

原文を正しく解釈したら、その文章を自然な表現に変えてみよう。たとえば、散歩道で会ったお隣さんに「今日は天気がいいですね」と挨拶されたとする。そのまま解釈すれば、「오늘은 날씨가 좋군요（今日は天気がいいですね）」となる。この文章を「날씨 참 좋죠？（素晴らしい天気ですよね？）」「날씨가 화창하네요（のどかな天気ですね）」など、表現を変えて訳す練習をしてみよう。〝今日〟のことであるのはわかりきっているから、「今日は」は省略してもかまわない。

「お肌が黒い」と聞けば、誰でも「피부가 검다（肌が黒い）」と解釈することができる。これを「피부가 가무잡잡하다（肌が浅黒い）」と訳したら、いっそう自然に感じられないだろうか？

「甘い」といえば、「달다（甘い）」という単語がよく知られている。これを「달달하다（ほどよく甘い）、달콤하다（甘くておいしい）、달착지근하다（ほんのり甘い）、들척지근하다（「口に合わない」甘味がある）」など、その文脈によりふさわしい単語に訳してみよう。

一時期、私は次のような言葉をプリントアウトして、頭に叩き込んでいた。

검다（黒い）、까맣다（［검다より］黒い）、꺼멓다（［까맣다より］黒い）、새까맣다（真っ黒だ）、시꺼멓다（［새까맣다より］真っ黒だ）、시커멓다（とても黒い）、거무스름하다（浅黒い）、거무튀튀하다（黒っぽい）、가무잡잡하다（どんよりと黒っぽい）、거뭇거뭇하다（黒みを帯びている）

희다（白い）、하얗다（真っ白だ）、（［하얗다より］真っ白だ）、허옇다（濁ったような白さがある）、새하얗다희붐하다（薄明るい）、희뿌옇다（白くぼやけている）、허여멀건하다（顔に血の気がなくて白い）

붉다（赤い）、빨갛다（鮮やかに赤い）、뻘겋다（［빨갛다より］とても赤い、濃い赤色だ）、발갛다（明るくうっすら赤い）、벌겋다（暗くうっすら赤い）、발그스름하다（赤みがかっている）、불그죽죽하다（くすんだ赤色だ）

푸르다（青い）、파랗다（とても青い）、퍼렇다（ややくすんだ青色だ）、새파랗다（真っ青だ）、시퍼렇다（［새파랗다より］真っ青だ）、푸르딩딩하다（まだらに青い）、푸르죽죽하다（濁った青色だ）、파릇파릇하다（青みを帯びている）、파르스름하다（ほんのり青い）……

覚えるのが面倒なら、机の前に貼って参考にしてほしい。これらを積極的に活用するだけでも、解釈から翻訳へとステップアップできるはずだ。

続いて、いくつかの例をご紹介する。原文がどんな方法で翻訳されたのかをじっくり見ていこう。細かい部分をほんの少し整えるだけで、文章がなめらかになる。

**日本語原文**

あなたは誰も知らないようなジャズのミュージシャンの名前はたくさん知っているのに、私の名前は何度でも忘れた。電話番号のメモもすぐにどこかにやってしまった。

——絲山秋子『袋小路の男』（講談社、2004年）

解釈

당신은 아무도 모를 것 같은 재즈 뮤지션의 이름은 많이 알고 있으면서도 내 이름은 몇 번이고 잊었다。 전화번호 메모도 이내 어딘가에 둬버렸다。

あなたは誰も知らないようなジャズミュージシャンの名前はたくさん知っているのに、私の名前は何度でも忘れた。電話番号のメモもすぐどこかにほったらかしにしてしまった。

翻訳

당신은 남들이 모르는 재즈 음악가 이름은 많이 알면서도 내 이름은 매번 잊어버렸다。 심지어 전화번호를 적어둔 메모지도 아무 데나 나뒹굴게 내버려두었다。

——이토야마 아키코『막다른 골목에 사는 남자』(작가정신、2005)

あなたは他の人たちが知らないジャズ音楽家の名前にはくわしいのに、私の名前はいつも忘れてしまった。そのうえ、電話番号を書いたメモ紙も所構わず適当にほったらかしにした。

――絲山秋子『袋小路に住む男』（作家精神《チャッカジョンシン》、2005年）

とても易しい文章だ。翻訳を工夫する部分もあまりないように見える。ところが、解釈と翻訳を比較すると、単語をいくつか整えただけで文章がぐっとなめらかになったことがわかる。「知っている（알고 있다）」のような「～ている」表現は、「～고 있다（～ている）」より「～한다（～だ）」体で訳すほうが自然だ。この点をいつも心がけておいてほしい。また、「何度でも忘れた」を「몇 번이고 잊었다（何度でも忘れた）」と訳すのは、解釈としては正しいが、韓国語の文章としてはぎこちない。最後の1行も同じように、文中の状況を把握して適切な表現に変える必要がある。

**日本語原文**

「説教するわけじゃないんだけどさ」

と、あなたは言う。その枕詞《まくらことば》の後はいつも説教だ。勉強しろとか、部活やれとか、軽い煙草に変えろとか、将来のことを考えろとか、痩せ過ぎだとか、友達増やせとか、あとはそう、世の中っておまえが思っているよりもずっとイヤなものなんだよ、とか。……説教をひとしきり終えると、あなたは煙草に火をつけ、神経質そうにまばたきをしながら言うのだった。

「で、おまえ、名前なんだったっけ」

——絲山秋子『袋小路の男』（講談社、2004年）

解釈

〝설교하는 건 아니지만 말이지。〟

하고、당신은 말한다。그 서두 뒤는 언제나 설교다。공부해라、라든가、동아리 활동 해라、라든가、가벼운 담배로 바꿔라、장래를 생각해라、라든가、너무 말랐다、라든가、친구를 늘려라、라든가、다음은 그렇지、세상은 네가 생각하는 것보다 훨씬 기분 나쁜 곳이야、라든가。설교를 한바탕 마치면、당신은 담배에 불을 붙이고、신경질적으로 눈을 깜빡이면서 말하는 것이었다。

〝그런데、너、이름 뭐였더라。〟

「説教するわけじゃないんだけど。」

と、あなたは言う。その前置きの後はいつも説教だ。勉強しろ、とか、部活やれ、とか、軽い煙草に変えろ、将来を考えろ、とか、痩せ過ぎだ、とか、友達を増やせ、とか、あとはそう、世の中はおまえが思っているよりずっとイヤなところだ、とか。

……説教をひとしきり終えると、あなたは煙草に火をつけて、神経質にまばたきをしながら言うのだった。
「ところで、おまえ、名前なんだったっけ。」

**翻訳**

〝설교하려는 건 아닌데 말이지。〟
하고 당신은 운을 뗀다。그 뒤에는 언제나 설교였다。공부해라、동아리 활동 해라、순한 담배로 바꿔라、장래를 생각해라、너무 말랐다、친구를 많이 사귀어라。그다음은、세상은 네가 생각하는 것보다 훨씬 기분 나쁜 곳이야、라든가。한바탕 설교가 끝나면 당신은 담뱃불을 붙이면서 신경질적으로 눈을 깜빡이며 말했다。
〝근데 너、이름이 뭐였지?〟

「説教するつもりじゃないんだけど。」
とあなたは前置きする。その後はいつも説教だった。勉強しろ、部活やれ、弱い煙草に変えろ、将来を考えろ、痩せ過ぎだ、たくさん友達付き合いをしろ。その次は、世の中はおまえが思っているよりずっとイヤなところだ、とか。……ひとしきり説教が終わると、あなたは煙草の火をつけて神経質にまばたきをしながら言った。

「ところでおまえ、名前はなんだっけ？」

――絲山秋子『袋小路に住む男』（作家精神、２００５年）

「とか（라든가）」などの並列助詞が同じ行に何度も出てきたときは、すべてを訳そうとしないほうがいい。上記のように、「라든가」を省くとかなりすっきりする。訳者は原文の雰囲気を知っているだけに、どの単語も助詞もすべて必要な部品のように思えてなかなか捨てられない。しかし、絶対に必要だと思っていた部品が、実は部品を入れておくビニール袋に過ぎなかった、ということがある。部品を販売するときはビニール袋が必要だが、組み立てるときには必要ない。部品なのかビニール袋なのかを識別するにはやはり経験による目利きが求められるが、翻訳文をなるべくすっきりさせるために、無駄になりそうな単語や助詞は思いきって捨てよう。

そして、これは〝なるべく〟ではなく〝必ず〟守ってほしいことだが、「言うのだった（말하는 것이었다）」という表現は「말했다（言った）」と訳そう。「～하는 것이었다（～するのだった）」という訳し方はしない。「言うことだ」「言うわけだ」も同様だ。ここでの「こと」や「わけ」も「것［の、もの、ことなど、物事や現象を抽象的に表す語］」と解釈できるが、訳さずに削ったほうがいい。

解釈と翻訳文を比較すると、文章が適度に区切られ、同じ意味の単語でも位置が変わったことによって、はるかに韓国語らしくなったことがわかる。

**日本語原文**

ルイはモデルで、副業としてホステスをやっていると車中で聞いていた。ホステス七モデル三の営業状況だが、職業欄に記入するのはあくまでモデルなのだそうだ。確かに、半袖の男物のTシャツに裾をまくりあげたジーンズというどうということのないスタイルがカッコよかった。

――平安寿子『素晴らしい一日』(文藝春秋、2001年)

解釈

루이는 모델로, 부업으로 호스티스를 하고 있다고 차 안에서 들었다。호스티스 7 모델 3 의 영업 상황이지만、직업란에 기입하는 것은 어디까지나 모델이라고 한다。확실히、반팔 남자 티셔츠에 단을 걷어올린 청바지라는 특별할 것 없는 스타일이 멋있었다。

ルイはモデルで、副業としてホステスをやっていると車中で聞いた。ホステス

7モデル3の営業状況だが、職業欄に記入するのはあくまでモデルだという。たしかに、半袖の男性Tシャツに裾をまくりあげたジーンズという特別なところのないスタイルがカッコよかった。

翻訳

루이는 원래 모델인데, 부업으로 호스티스 일을 한다고 오면서 들었다.호스티스 7, 모델 3의 비율로 일하지만 직업란에는 늘 모델로 적어넣는다고 한다。그래서인지 남자용 반팔 티셔츠에 청바지 아랫단을 접어올린 평범한 차림인데도 왠지 멋있어 보였다。

——다이라 아즈코『멋진 하루』(문학동네、2004)

ルイは本来モデルだが、副業としてホステスの仕事をするのだと移動中に聞いた。ホステス7、モデル3の割合で働いているが、職業欄にはいつもモデルと書くという。だからなのか、男性用の半袖Tシャツにジーンズの裾をまくり上げた平凡な服装にもかかわらずなんだかカッコよく見えた。

——平安寿子『素晴らしい一日』(文学トンネ、2004年)

私たちはしばしば、原文をありのままに解釈しただけで満足してしまう。単語を一つも捨てず、正確に訳したからだ。解釈した文章のどこがおかしいのか、自分ではよくわからない。たとえば、「営業状況」という言葉は韓国語としては不自然だが、原文にある単語そのままだから特に問題ないように思える。しかしそれは、日本語に慣れきった訳者ならではの感覚だ。韓国語で読んだ読者は即座に違和感を覚える。「반팔 남자 티셔츠（半袖の男性Tシャツ）」も間違いというわけではない。でも、翻訳文を見れば、どこが不自然なのかがわかると思う。

「ジーンズという（청바지라는）」のように、日本語には「〜という」という表現が多いが、いちいち「〜라는（〜という）」と訳す必要はない。では、どう翻訳すればいいのか？　削ればいい。「청바지 차림（ジーンズ姿）」という言い方はあるが、「청바지라는 차림（ジーンズという姿）」と表現することはあまりない。これもビニール袋だ。

これ以外にもビニール袋がいくつかあるが、日本語の文章にかなり頻繁に出てくる「〜と思う（라고 생각한다）」「〜に違いない（인 게 틀림없다）」「〜かもしれない（일지도 모른다）」「〜してしまう（해버리다）」などの表現もなるべく捨てたほうがいい。10個のうち1、2個ぐらいは使わざるを得ないこともあるだろうけれど、その1、2個を選ぶ自信がないなら、すべて捨ててもかまわない。習慣のように使われる表現だから。

この文章を書くために、以前翻訳した本を読み返した。顔から火が出た。翻訳というのは、昨日訳したものを今日読んでも顔が赤くなってしまうものなのに、数年前の作品であればなおさらだ。私の訳書を担当した編集者たちにこのページを読まれたら、「我が身を振り返ってください」と言われてしまうかもしれない。すみません。

他人が訳した文章にケチをつけて修正することは誰にでもできるけれど、原文に心酔した人間が自分の翻訳の問題点を見つけ出すのは簡単なことではない。それでも数日後に見直せば、少しは客観的な目で読むことができる。たとえその作業が「脱いだ自分の靴下の匂いをかぐ」ようにつらくても、初心者のうちから自分の翻訳文を何度も読み返して手を入れる習慣を身につけておこう。

## おばあさんはおばあさんらしく

翻訳用の原書を受け取ったら、小説の設定を決めるときのように白い紙に登場人物を書き出して、家の間取り図や町内の地図を描いてみる。主人公は誰で、どんな家族構成なのか、周りにはどんな人物がいて、それぞれの年齢は何歳ぐらいなのか。どんな地域で暮らし、町にはどんな特色があって、どんな家に住んでいるのか。作中で描写されている内容をメモして表にまとめる。すべての作品について、毎回この作業をするわけではない。明確な基準はないが、分厚い本だったり、複雑な内容の作品だったりする場合は、設定を大まかにまとめる。登場人物が少なくて行動パターンが単純なときは、導入部を読んでいるうちに自然とつかめてくるので、あえて書き出すことはない。

分厚い本でも薄い本でも必ずやっておくべきなのは、登場人物がどんな性格なのかを把握することだ。それぞれの言葉遣いをどんなふうに訳すかを考えなくてはいけないからだ。優しいのか、冷たいのか、無知なのか、傲慢なのか、上品なのか、そそっかしいのか、などなど。テレビやラジオとは違って、文章だけで人物像を表現できる範囲には限界があるが、訳者がきちんと性格を把握したうえで訳すと、キャラクターに命が宿る。この人は気難しいから、この人は寛容だから、と感情移入することによって言葉遣いが変わるのだ。

　昔からこんなふうに仕事を進めていたわけではない。駆け出しの頃は何も考えずにいきなり訳していた。性別や職業、年齢の差はつけていたけれど、一人ひとりの言葉遣いまでは細かく意識できていなかった。そんなある日、校正者さんが「おばあさんはおばあさんらしい口調で訳したほうがいいのではないでしょうか？」と指摘してくれた。その瞬間、ハッと目が覚めたような気分になった。新大陸を発見したコロンブスの気持ち、と言うとかなり大げさだが、その一言によって自分がどれだけ無計画に翻訳をしてきたかを思い知らされ、大反省するに至った。それ以来、翻訳に取りかかる前に登場人物の性格を把握し、主人公の置かれた状況をメモしている。一を聞いて十を知る聡明さ……と自慢したいところだが、翻訳歴10年を超えてからのことなので、まったくもって恥ずかしいかぎりだ。

# 方言の味

翻訳をするとき、いちばん厄介なのは〝方言〟だ。方言に出くわすたびにこの課題をどう克服しようかと悩むが、すっきりした解決策はいまだに見つかっていない。毎回、作品ごとに編集者と話し合い、出版社の意向に沿って対処している。

特に意識せずに訳していた方言を〝強く〟意識しはじめたのは、ある読者レビューを目にしてからだ。だいぶ昔の仕事だが、浅田次郎の『活動寫眞の女』という小説に大阪弁を話す青年が出てくる。たしか、私は標準語で訳したと思う。すると、読者レビューの中に「大阪弁はものすごくカッコいい方言なのに、その味がきちんと生かされていない」という指摘があった。

大阪弁をカッコいいと感じるのは読者個人の好みだからさておき、はたして全羅道《チョルラド》［韓国南西部］方言の味を日本語で生かせるだろうか？　英語で慶尚道《キョンサンド》［韓国南東部］方言の味を生かすことはできるのだろうか？　他国の言語で方言の味を生かすというのはそもそも可能なことなのだろうか？

できるできないはわからないが、方言の味を生かせなかったのは訳者の責任であり、力不足だ。それ以来、方言が出てくるたびにこのレビューを思い出す。

今まで訳した本に方言がきつい作品がいくつかあったが、そのうち最強だったのは芥川賞受賞作の『乳と卵』［川上未映子著］と直木賞受賞作の『切羽《きりは》へ』［井上荒野著］だ。『乳と卵』は地の文にも大阪弁が混ざっていた。この本は出版社から標準語で訳してほしいと指示されていたので、特に苦労はしなかった。セリフと地の文をすべて方言で訳せと言われていたら、翻訳者も読者も人間の限界に挑戦することになっただろう。

しかし、九州の方言がたくさん使われている『切羽へ』は、標準語に統一することはできなかった。主人公が東京の大学では標準語を使い、故郷の人々とは方言で話す。なぜそんなふうに使い分けるのかという説明まで書かれているので、方言の部分は方言で訳すしかなかった。

では、どの地方の方言で訳せばいいのだろうか？ こんな質問を翻訳者仲間にしてみた。彼らの答えは一様に「自分にとって、いちばん自信のある方言で」だった。

仮に、九州弁を江原道《カンウォンド》［韓国北東部］方言で訳すとしよう。私には江原道の方言がわからない。その場合、自分が訳した文章を江原道方言に堪能な誰かに頼んで再翻訳してもらうことになる。「作品のために、その程度の労力と経費もかけられないの？」と言う人もいるかもしれない。しかし労力や経費の問題以前に、日本の○○弁のニュアンスは韓国のこの方言に相当する、という正解がないのである。大阪弁は全羅道の方言に似ているという人もいれば、慶尚道の方言に似ているという人もいる。どちらの意見に合わせるべきだろうか？ どのみち正解はないのだから、訳者がいちばん自信のある方言で訳すのがベストだと思う。

そういうわけで、好んで使う方言は訳者によって異なる。ヤン・ユンオク先生〔日本文学翻訳家。2005年、平野啓一郎『日蝕』で野間文芸翻訳賞を受賞〕は全羅道の大学を卒業なさったから全羅道の方言で訳すことが多い。私はふるさとが大邱《テグ》だから、慶尚道方言で訳すことがほとんどだ。慶尚道方言と一口に言っても、地域によって少しずつ違いがある。「アニエヨ〔いいえ〕」という言葉を例に挙げると、大邱では「アニライェ」、安東《アンドン》では「アイシド」、聞慶《ムンギョン》では「アイレヨ」となる。そのため、登場人物の個性に合わせて、慶尚道のどの地域の言葉で訳すかを選んで使い分けている。

『切羽へ』の翻訳原稿を読んだ編集者と上役のみなさんは、方言のせいでかなり困惑したらしい。出版社はやはり読みやすさを重視するので、なめらかな標準語を好む。編集部では「すべて標準語に修正する」という方針も検討されたようだが、結局この作品には方言を使わざるを得ないと判断され、そのまま出版されることになった。うーん、ところで本になってから読んでみると、たしかに方言がひっかかった。今度また方言が出てくる本の仕事をすることになったら、どんなふうに訳せばいいのか、白髪が増えそうなほど悩むと思う。

つまり、どんなふうに訳せばいいのかって？　まずは、どうしても方言で訳す必要があるのかどうかを自分でじっくり考えてから編集者と相談して決めるといい。それぐらいは訳者が判断すべきことではあるが、訳者の余計なこだわりのせいで売れ行きに悪影響を及ぼしてはいけないからだ。

# 作家に会う

## 恩田陸さんの訪韓

「先生、恩田陸さんがソウル国際ブックフェアのときに韓国にいらっしゃるんですが、そのときに『きのうの世界』の出版イベントをする予定なんです。サイン会の後に関係者で会食をすることになったので、先生にもぜひいらしていただきたいと思って」

ある日、かかってきた編集者からの電話。「……韓国にいらっしゃるんですが」まで聞いたとき、私はすでに頭の中で「どう断ろうか」と考えていた。自分が翻訳した本の著者に会うのは、もちろんとてもうれしいことだ。1対1で会うのだとしたら、私も訪韓の知らせを喜べただろう。しかし、日本の出版関係者がぞろぞろ、韓国の出版関係者がぞろぞろと一堂に会するというではないか。

私は人が大勢集まる席が本当に苦手である。年末に出版社の忘年会に招待されただけでも、心の中で悲鳴をあげる人間だ。学校に通っていた頃は、賞をもらうときですら朝礼台の前に出ていけないほどの恥ずかしがり屋だった。大人になって多少はましになったとはいえ、生まれもった性格が変わるはずもない。いまだに5人以上の成人が集まる場を避けてしまう。

こんな人間にとってそのお誘いがどれほど恐ろしかったか、お察しいただけると思う。おまけに相手は日本人だ。彼女は著者で、私は訳者。話をしなくてはいけない。作品について少しは意見を交わさないと、訳者として格好がつかないのではないだろうか？ しかし、私はもともと集まりの場で口数が多いほうではない。著者の前で無口な訳者。あぁ、想像しただけでみっともなくて、いたたまれない気持ちになる。以前、翻訳した小説『沖で待つ』の著者、絲山秋子さんが韓国に来たときも同じ理由で参加できなかった。私と同い年の絲山秋子さん。彼女の小説が大好きで、作品について話したいことも多かったのに……。

今回も私はこんな情けない理由で出席を固辞した。しかし時間が経つにつれて、いくら何でもこれではいけないという気持ちが強まってきた。『きのうの世界』は著者が自ら集大成だと語るほどの大作だ。その作品のプロモーションで来韓するのだから、裸足で飛び出してお出迎えするとまではいかなくても、せめて会食には参加するのが訳者としての礼儀ではないだろうか。思いきって、勇気を出して行こう。

そう決心して連絡をすると、食事会の案内状が送られてきた。出席者名簿には私の名前と一緒に、恩田陸作品を多く翻訳したクォン・ヨンジュさんの名前があった。行くことにしてよかったなと思い、それから悩み始めた。「作品について、どんな深い話ができるだろうか？」

――真面目にこんなことを悩むのが正常だが、私の頭の中は「何着て行こう？　服を一揃い買ったほうがいいかな？　ヘアスタイルとメイクは？　サロンでメイクをしてもらおうか？一応、訳者なんだから上品で知的な装いをすべきよね？」という悩みで埋め尽くされていた。

そのとき、あらゆる悩みを一気に吹き飛ばしてくれたありがたい人がいた。国際ブックフェアでサイン会を開催した江國香織さん！　きらびやかな名声とは異なり、特に着飾るわけでもなく、シンプルなふだん着姿だった。やっぱり作家は形式に縛られないのね！　その姿を見て、私も胸を張って（？）自由な服装で参加しようという勇気が出た。

国際ブックフェアが開催されたＣＯＥＸで、サイン会の開始を待つ恩田陸さんとついにお会いした。息を弾ませて到着するやいなや、控室に案内された。話す言葉も準備できないまま入室すると、そこには恩田陸さんがまさしく上品で知的な姿で座っていた。ショートカットで小柄で、瞳がきらきらと美しい。

「はじめまして。『きのうの世界』を翻訳したクォン・ナミと申します」

すると、恩田陸さんは大喜びしながら、会えてうれしいと手を握ってくれた。本を翻訳してくれてありがとうという言葉と一緒に。私もお会いできて光栄だと伝え、『きのうの世界』は本当におもしろかったと短い会話を交わした後、カメラを抱えた出版社のスタッフに誘導されて記念写真を撮り、部屋を出た。サイン会直前の慌ただしいタイミングだったから、落ち着いて話せる雰囲気ではなかった。ラッキーだった。出版社ブックフォリオと講談社のお偉方が見守る中でもっと長い会話をしたら、緊張で息が止まっていたかもしれない。

恩田陸さんについて簡単にご説明すると、私より2歳年上の1964年生まれだ。保険会社勤務を経て、デビューは37歳と遅咲きだったが、独特の世界観をもつ小説はとても中毒性が高く、瞬く間に人気作家の仲間入りを果たした。韓国でも初めて翻訳出版された『夜のピクニック』以降、新しい作品が次から次へと出版され、あっという間に熱狂的なファン層が形成された。彼女の世界観、いわゆる〝恩田ワールド〟には一度ハマると抜け出せない魅力がある。私が翻訳した作品には『夜のピクニック』『麦の海に沈む果実』『黄昏の百合の骨』『不安な童話』『きのうの世界』などがあるが、初期作の『不安な童話』以外は、特に韓国の読者に好評だった作品だ。恩田ワールドに入門したい方々に自信を持っておすすめする。

恩田陸さんのサイン会は大盛況だった。ものすごい大行列を見て、彼女の人気をあらためて思い知った。今日中に終わらないいんじゃないだろうかと思ったが、名前だけをサインする形だったので、300人近い人々の列は1時間も経たないうちに消えた。

サイン会が終わると、高級レストランで会食が始まった。前には講談社の韓国ツウである堀江さんとエージェンシーの通訳担当者、そしてその隣に恩田陸さんと講談社のお偉方が座った。私の左側にはクォン・ヨンジュさん、右側にモ・イルボ記者、ブックフォリオのみなさん、エージェンシーのみなさん、『きのうの世界』を担当した2人の編集者、そしてインターネットで最高の恩田陸ファンに選ばれた2人がいた。そのうち1人は女子高生で、なんと釜山から上京したと言ってみんなを驚かせた。女子高生らしく恩田陸さんへの愛を思いきりアピールして、ぎこちなかった会食の場を盛り上げてもくれた。恩田陸さんと講談社のみなさんも、かわいらしいその読者を絶賛していた。

挨拶のとき、恩田陸さんは、自分の本を翻訳した訳者に会うのは初めてだからとてもうれしいと言った。食事中にお話しできたらよかったのだけど、テーブルが広くて向かいの席の人と話すにも声を張り上げないといけないぐらいだったから、声の小さい私は話しかける勇気が出なかった。何かの話の流れで（『夜のピクニック』も私が翻訳したとアピールした後だったと思う）、恩田陸さんから「翻訳のお仕事をするときは、作品を選んでいるんですか？」と聞かれた。私は「そういうわけでもありません」と笑顔で短く答えた。編集者とのつき合いで望まない本を訳すこともあるという話をしようかと思ったけれど、視線が集中しているときにアクセントも正確でない日本語を話すのが恥ずかしかった。それでも一応訳者だから、軽い質問をした。「訳者あとがきはお読みになりますか？」と。すると、訳してくれる人がいなくて読めないと言っていた。食事中の私たちの会話はそれで全部だった。その日の私のキャラは寡黙な女だった（と言うわりに、韓国語が通じる近くの席の人々とはたくさんおしゃべりしたな……）。

出席者は17人だっただろうか。前出の堀江さんは韓国語がペラペラなので、私たちのテーブルは全員韓国語でおしゃべりをしながら楽しく食事をした。

食事が終わる頃、私とヨンジュさんはそれぞれ用意してきたプレゼントを恩田陸さんに渡して、サインをもらった。私は静河の名前を書いたノートを見せながら、中学生の娘が恩田陸さんのファンなので娘のためにサインをしてほしいとお願いした。

食事を終えて店を出るとき、ついに恩田陸さんと並んで階段を降りるチャンスがやってきて、個人的な話をすることができた。彼女の故郷は仙台だから仙台の話もしたし、最近はどんな仕事をしているのかと聞かれて、天童荒太の『悼む人』を訳していると答えた。『悼む人』が第140回直木賞を受賞したとき、『きのうの世界』も候補作にノミネートされていた。ひょっとしたらその話が出るかなと思ったけれど、そうですかとうなずいただけだった。

作家と会ったのは初めてだったが、恩田陸さんは近所のお姉さんのように穏やかだった。こんなに清楚で落ち着いて見える人が、どうやってあんな小説を書くのだろうと不思議に思えるほどだった。あぁ、でもどんなに穏やかな人であっても、作家と会うときはいまだに緊張する。

## 大江健三郎講演会へ

東京の三鷹市で新婚生活を送っていた頃のことだ。

憲法記念日に合わせて、三鷹市のイベントホールで「大江健三郎講演会」が開催された。大江健三郎はその前年の1994年にノーベル文学賞を受賞し、国内外で改めて脚光を浴びていた。こんな機会でもなければノーベル文学賞受賞者を見ることはできないと思い、絶対に行こ

う と決心した。誰でも行けるわけではなく、参加希望ハガキを送って当選した人だけが参加できる。夫のぶんまで2枚送ったが、私だけが当選した。

講演会が開催されるのは、妊娠9カ月に入った私が里帰り出産のためにソウルに発つ前日だった。2カ月も離ればなれになる夫と一緒に過ごすべきか、2時間もある講演会を聞くべきか迷った末、やっぱり大江健三郎を選んだ。その日、会場まで私を送ってくれた夫は言った。「僕にはこれから一生会えるけど、大江健三郎には今会わなかったら一生会えないかもしれないでしょ」。ププッ! 数年後の未来を知らずにいる愚か者たちですねぇ、ハイ。

大江健三郎を一言で表すとしたら、日本人ではなく〝世界人〟だ。彼の心の中には国境がない。その世代の人にしてはめずらしく体格が大きいが、人間としての器もまれに見る大きさだ。心から尊敬の念が湧く。彼の小説は私の好みとはかけ離れていて、まだ1冊も読破できていないけれど。小説の翻訳依頼が入ってきたことがあるが、スケジュールが合わなくて引き受けられなかった。ふつうはそんなとき、とても残念な気持ちになるが、大江健三郎の場合は安堵のため息が漏れた。私には、彼の小説をうまく訳す自信がない。難しいということもあるが、肌に合わないのだ。ところが、彼の講演は小説と違って本当におもしろかった。2時間が20分ぐらいに感じられたほどだ。参加者はずっと笑いっぱなしだった。本当に最高の講演だった。そのとき聞いた話の中から、いくつかを集めてみた。

エピソード1

私はど田舎の小学校に通っていたのですが、先生はよく生徒たちにこんな質問をしました。

「天皇陛下が死ねとおっしゃられたらば、おまえはどうする?」

すると友達は、

「死にます! その場で切腹して死にます!」

こう答えました。それが先生の求める答えだったからでしょう。あるとき、先生は私にも尋ねました。

「大江、天皇陛下がおまえに死ねとおっしゃったら、おまえはどうする?」

私は何と答えようか、しばらく考えました。

「こんな山奥に、はたして天皇陛下がお出ましになるだろうか? ところで、おいでになったとしても、どうして僕のことをご存じで、死ねとおっしゃるのだろうか?」

そう考えていたら、いきなりげんこつが飛んできました。そしてその日、私は先生にこっぴどく殴られました。天皇陛下への忠誠心がないという理由でした。

エピソード2

先日、アトランタ文化オリンピック［1996年のアトランタオリンピックの前年に開催。ノーベル文学賞受賞者らが集まり討論会が行われた］に参加しました。

うちの母は昔から町内の人を集めて話をするのが好きなんですが、私がそこに行っている間、ご近所さんにこんな話をしたんだそうです。

「うちの健三郎は足が遅くてかけっこもできないのに、アトランタオリンピックに出るんだって。あの子ったらもう60なのに、ちゃんと走れるのかねぇ」

エピソード3

アトランタ文化オリンピックのときに私が泊まったホテルには、世界各国からの貴賓が宿泊していました。あるとき、同じエレベーターに乗り合わせた人がいたんです。欧米人でした。欧米人は知らない人同士でも挨拶を交わすでしょう？　だから黙っているのもばつが悪いし、挨拶をしようと思って短い英語を考えていたら、向こうから話しかけられたんです。

「きみ、私を知っているかい？」

あぁ、そう言われてみたら、彼はアメリカのカーター元大統領でした。だから答えましたよ。

「知ってるよ。カーターだよね」

すると、「そうさ！」と言うんです。

エレベーターはまだ上がり続けていたので、私は聞きました。

「きみは私を知ってるかい？」

彼が答えました。

「アイ ビリーブ アイ ノウ ユー」

でも、降りるときになっても私の名前を言わなかったところを見ると、カーターさんは94年のノーベル文学賞受賞者が誰なのか知らなかったようです。

エピソード4

今日は憲法記念日ですね。私は子どもの頃から憲法が好きでした。小学6年生のときに初めて憲法が制定されましたが、私はそれがとてもうれしくて、毎日読んで、そのうちすっかり暗記してしまうほどでした。

私には兄が1人いるんですが、どういうわけか、私の小学校の同級生と結婚したんです。同級生が兄嫁になったわけですね。ところが、しょっちゅう夫婦げんかをするんです。夫婦げんかと言っても、兄が一方的に兄嫁を困らせていました。あるとき、また兄嫁をいびっていたので、見かねて兄に言ったんです。

「兄さん、憲法第14条によると、男女は平等だというのに、兄さんは法を犯してい……」

言い終わる前に兄に死ぬほど殴られました。

エピソード5

うちの息子の光は幼い頃、ピアノを弾くと、その音色を気に入って1人でピアノによく話しかけていました。「きみは本当にいい声だね」といった具合に。だから、あるとき息子にこう言いました。

「光にも光という名前があるんだから、ピアノにも名前をつけてやったらどうだい？」

すると、息子の答えが傑作でした。

「ピアノに名前なんかつけてどうするの」


知的障碍を持つ息子の光をノーベル文学賞の授賞式にも連れて行った父、大江健三郎。息子と一緒に誇らしげに歩く姿をテレビで何度も目にした。謹厳で無愛想なイメージとは違い、口を開けばユーモアが飛び出す大江健三郎おじさん。ある日、彼の親友で義兄でもある映画監督［伊丹十三］がテレビでこんな話をしていた。

「大江さんは身近な人からおもしろい話を聞くと、いつもすぐにメモをするんです。なぜなのか聞いたら、自分は怖く見られがちだから、雰囲気を和ませるために笑い話を用意しておくんだと言っていました」

こうした努力の甲斐あってか、彼のユーモアはコメディアン顔負けなほどハイレベルだった。いつか1冊ぐらいは、あきらめずに彼の小説を読破しなくては……。読みかけてやめてしまった本が何冊あるかわからない。

# 作家にメールを送る

ある新聞社のインタビューを受けたとき、日本の作家にメールをすることは多いのかと質問されて内心ドキリとした。あのときは、何と言ってその場を切り抜けたんだっけ？　たしか、「言いたいことを自由自在に伝えられるほどの日本語力がないから、メールを送ることはほとんどない」と正直に答えた気がする。幸い、記者さんは「わかります」という表情でうなずいてくれた。そこまで共感してもらえるような回答でもないのに、思いやりのある記者さんだった。

形式的なメールなら言い回しが決まっているから何とかなるが、気持ちを込めた長いメールは完璧に書ける自信がない。いつも心配が先に立つ小心者の私は、作家にがっかりされるのが怖くて日本語のメールが送れない。わざわざ連絡を取らなければならない状況になることもなかったけれど（実際、翻訳者仲間に聞いても、作家にメールを書くことはほとんどないそうだ）。一度だけ作家にメールをしたことがあるが、そのときはこんなふうに書き添えた。

「韓国語は得意ですから、翻訳についてはご心配なさらないでください^^」

その作家とは、三浦しをん氏だ。このときも私がメールを書きたくて書いたわけではなく、韓国の出版社に代筆を頼まれたのである。作品の翻訳権を取得したいというメールだ。いい本をたくさん出している立派な出版社であり、マーケティングも得意であることを説明して、我が社からあなたの本を出版すればよく売れるだろうという内容を書いてほしいとのことだった。

心がこもったメールを好む私としては、業務的な内容だけを伝えるのはイヤだった。そこで自分が翻訳した三浦しをん作品の話から始めて、私はあなたの作品に惚れこんだ（事実だ）、かくかくしかじかの文章は本当に素晴らしかった、誰々が誰々と会う場面は感動的だった、素晴らしい発想だ、などなど、度を過ぎない程度に率直な感想を書いた。その後に、あなたの作品をぜひ出したがっている出版社がある、かくかくしかじかな会社だからあなたの本をよりいっそう輝かせると思う、韓国の出版社を選ぶときは参考にしてほしい……と、遠回しに翻訳権を取得したいとお願いした。メールの本題はこちらだが、ついでのように書き添えた。

こんなふうに長いメールを書き、日本で暮らす知人にチェックをしてもらった後で所属エージェンシーに送った。エージェンシーの担当者はていねいな返事をくれた。「メールありがとうございます。三浦に転送させていただきました」と。1、2日後、三浦しをん氏から長い長い返信が届いた。おやっ……しをんさん、あなたも私と同類ですね。形式的ではなく、心のこもったメールを書くのが好きなところ。

三浦しをん氏は、訳者からメールをもらったのは初めてだから、本当にうれしくてドキドキして不思議な気分だと言った。そして『まほろ駅前多田便利軒』を気に入ってもらえてうれしい、まほろ駅は架空の名前だが、自分が暮らしている町の駅（町田駅だったかな？）をモデルにしたと教えてくれた。町田駅には行ったことがあるが、そう言われてみると、まほろ駅周辺の描写とぴったり一致する。そして、自分は外国語ができないから翻訳者のみなさんは本当に立派だと思う、クォン・ナミ先生はすごいという話まで、いろいろなことが書かれていた。版権については「出版社の名前が素敵ですね」「参考にします」程度？　初めて作家とやりとりしたメールだったのに、今はもう残っていない。私には、記録して保存するという習慣がないせいだ。小説の文体とまったく同じ雰囲気が漂うそのメールは、とても素敵だったのだけれど。

私が送ったメールと受け取ったメールを翻訳して、出版社に送った。直接的に強くお願いする文面ではなかったから、やっぱりちょっとがっかりしていたようだ（だよね、訳者がやるべき仕事ではありませんでした。くすん）。

ところが、切に望んだその作品は、メールを送る前から契約先が決まっていたのか、その後まもなく他の出版社から出版されてしまった。

韓国語と同じぐらい自由に日本語を駆使できるなら、ぜひメールを送りたい作家がいる。それは、『悼む人』の天童荒太さん。理由はイケメンだから（プハハ）。『悼む人』がどれほど私の胸を打ったのかを伝えたいし、インタビュー記事によると韓国の読者のレビューを少しでいいから読んでみたいとのことだから、ぜひ翻訳してお見せしたい。でも、日本語を韓国語のように使いこなせる日がはたしてやってくるだろうか。

# あとがきに込めた思い

翻訳の仕事を始めたばかりの頃は、訳者あとがきを書けるのが本当にうれしかった。自分の名前が刻まれた本が出るだけでも光栄なのに、文章まで書かせてもらえるなんて！　翻訳ではない、自分の文章を書けるページがあるということにひたすら感激していた。無知だった私は、訳者あとがきを雑誌記者がひとことコメントを書く編集後記みたいなコーナーだと思っていたのだ。翻訳終了後のちょっとした感想を書くところだと。このとおり、訳者あとがきはこうあるべきという概念すらなかった駆け出し時代に書いたものは、個人的なつぶやきやカッコつけた文章が多い。今読み返すと、顔から火が出そうになる。当時あれを読んだ人々はなぜ誰も指摘してくれなかったのだろう。逆に、おもしろかったと言われることも多くて、訳者あとがきらしくない〝締め切りを終えての感想文〟はしばらく続いた。

ところが、冊数が増えるにつれて本に自分の名前があることがめずらしくなくなり、訳者あとがきの概念も生まれて、出版そのものにも慣れてくると、あとがきを書くのが負担になってきた。ふぅ、また何か書かなきゃいけないのか。訳者あとがきのない本はないかしら。私だけでなく、翻訳者仲間たちもあとがきには苦労しているらしい。

読者という立場から見ると、訳者あとがきのない本はなんだか読者に対する礼儀に欠けているように思える。少しぐらい作品の解説をすべきじゃない？　訳した本についての感想をちょっと書くのがそんなに大変なの？　そんな感じがするというか。ところが、訳者にとって、あとがきを書くのは本当にしんどい。書こうと決めたら一気に書けるというものでもないし（ときどきそういう作品もあるけれど）、たいていは何日かうんうんうなることになる。1週間経っても書けないこともある。タイムイズマネーである私たちにとっては、その時間がこれまた惜しい。「あぁ、この時間を使って翻訳をしていたら、いくらか稼げたのに」と思ってしまうのだ。原稿用紙10枚程度の訳者あとがきを書くのに1週間かかると考えてみてほしい。家計を支える大黒柱の背中に冷や汗が流れる。読者が書店でサラッと立ち読みできるくらいのボリュームで、たいした内容でもないのに、書けないときは本当に書けない。

どうしても書けないから訳者あとがきは後で送ることにして、とりあえず翻訳原稿だけを送る場合もある。こんなとき！　出版社から支払われる報酬に、苦労して書いた訳者あとがきの原稿料が含まれていないことがしばしばある。おそらく、原稿を受け取ってすぐ支払いの手続きに入るからだろう。先日、同業者が数人集まったときも誰かがこんなことを言っていた。

「数万ウォンぽっちの原稿料を払ってくれとも言いにくいけど、それを書くのに数日かかったことを考えたら、まぁいっかとも思えないんだよねぇ」

そのとおり。翻訳家ならば誰でも一度ぐらいは経験する、ささやかなジレンマだ。レジュメや訳者あとがきというものは、原稿料はいくらにもならないが、時間はずいぶんかかる。レジュメはまだいいとしても、訳者あとがきは酢豚定食の餃子みたいに、翻訳のおまけとしてついてくるサービスだと思われているのか、報酬の対象にならないこともある。しかし、出版社が配慮してくれないかぎり、こちらから払ってくれとは言いづらい。だから締切を何日か過ぎることになっても、なるべく翻訳原稿と一緒に訳者あとがきを送る。そのささやかなジレンマに陥って、激しく葛藤するのがイヤなのだ。ある翻訳家の先生は、原稿の最後に本文の合計枚数と訳者あとがきの予定枚数を書いて送っているらしい。それもいい方法だと思う。でも、私にはどうしても真似できなかった。神聖な原稿の後にお金の計算式を書くようで、どうもためらわれた（まだ優雅ぶっていらっしゃる）。しかし後進のみなさんにはその方法をおすすめしたい。編集者にとっても、そのほうが楽かもしれない。

訳者あとがきには主に作家の紹介や作品の解説、本への賛辞を書く。しかし、私が翻訳した本のすべてがいい本だったり、愛すべき本だったり、レベルの高い本だったりするわけではない。数ある中には、ごくまれではあるけれど、出版社はなぜこんな本の版権を取ったのだろうとイライラしながら訳す本もある。しかし、あとがきにそんな感想を素直に書いたら、大金を投じて本を出す出版社を困らせてしまう。本について率直な感想を書けるのはレジュメだけだ。

私がレジュメにイマイチだと書いた本の翻訳権を出版社が取得したことは一度もない。ただし、それなりに〝経験〟を重ねたので、「この本はちょっと読むのに苦労するかもしれませんよ」という内容をこんなふうに遠回しに書いたことはある。

受賞者の経歴と同じぐらい話題になったのは、『乳と卵』という作品の難読性と彼女の文体だ。一文が短くても1ページ、長ければ2ページに及ぶ。改行も少ない。その長い文章がひたすら読点でつながっている。しかし読点は打つべきところに打たれていなかったり、不要な部分に乱発されていたりもする。セリフにカギかっこがつけないことにしてあるのかと思いきや、ついているときもある。おまけにすべて大阪弁だ。日本の読者の間ですら、読みづらいという声がある。とあるレビューでは「ここまで徹底的に読者を無視した小説は初めて」と表現されていた。親切な小説ではないことはたしかだ。(中略)

愉快でたまらない物語というわけではないが、独特な経歴を持つ作家の独特なテーマと独特な文体を味わいながら、文学性に優れた新人に与えられるという芥川賞の重さを量るのも意味あることだと思う。

――川上未映子『乳と卵』(文学手帳、2008年)

第138回芥川賞受賞作『乳と卵』の訳者あとがきだ。読者にお伝えした、私のちょっとしたヒントなどおかまいなしの「達筆と息詰まる文体、愛おしいほどのカタルシス」という帯のコピーがおもしろい。あっ、もちろん『乳と卵』がお粗末な小説だと言いたいわけでは決してない。何と言っても芥川賞受賞作なのに、そんなはずがあろうか。自国の読者まで読むのに苦労したという実験作を、韓国の読者たちはどんなふうに受け止めるのだろうと心配になっただけだ。

次に紹介する数編は、うまく書けたというよりは、私が好きな本のあとがきだ。

---

『エクスタシー』を翻訳していたときのことだ。

ある女の子が恋に落ちて苦しんでいた。

いつかこの恋が終わると思うと、不安でたまらないという。

私はその子に、訳したばかりの『エクスタシー』の一節を聞かせてあげた。

「パイロットにとって最大の恐怖は何だと思う？　そう、飛行機を落としてしまうことだ」。アルコールに溺れる人にとって最大の不安はアルコール中毒者になることだ。しかしパイロットは実際に飛行機を墜落させることによって、アルコールに溺れる人は実際にアルコール中毒者になることによって、その不安から抜け出すことができる。

翻訳が終わる頃、女の子は不安から抜け出すために恋愛を終わらせたと話してくれ

---

た。脱稿したとき、なぜか涙が出た。彼女の愛が悲しかった。

虎を捕まえるために虎穴に入るのと、不安から抜け出すために不安の中に飛び込むのは意味が違う。『エクスタシー』を読んだ読者が後者の愚かなミスを犯さないことを切に祈る。村上龍は何の責任も取ってくれないだろうから。

――村上龍『エクスタシー』〔韓国版タイトル『ゴッホがなぜ耳を切ったか、わかるかい』〕（イェムン、2004年）

これぞまさに〝締め切りの感想文〟を書いていた駆け出しの頃のあとがきだ。

数年前、ある読者から図書館で『エクスタシー』を借りて読んだというメールが届いた。「おもしろかったのですが、290ページが破れていました。物語はその前のページで終わりなんですか？　まだ続きがあったんですか？」

290ページは訳者あとがきだ。単純な質問なのに、ずいぶん考え込んだ。なぜそのページが破れていたのだろう？　二つの可能性を考えた。一つ目、本を持ってトイレに行ったら紙がなかったから、どうでもいい訳者あとがきを破って使った。二つ目、訳者あとがきがとても気に入って、大切にとっておくために誰かが破っていった。

私は自分を安心させるために、二つ目だと考えることにした。当時、知人たちからけっこう褒められた記憶があったからだ。ところが今日、これを書くために久々に本を出してきて読んでみたら、手の指がぞわぞわして背筋がこわばり、顔がカッと熱くなっておかしくなりそうだった。恥ずかしい歴史も歴史であり、鳥肌の立つ記録も記録だから、こうして書いてはみたけれど……。

ここに収録された全8編の短編は、他人を通して自分の人生を見つめているような気分にさせてくれます。痛ましい姿に心を痛め、悲しい場面で一緒に悲しんでいるうちに「あぁ、私だけじゃなくて、他の人もそうなのね」という安心感と希望が芽生えて、ひとつの物語は終わります。まるで、短編映画を連続で観ているかのようです。

浅田次郎は本書でもいつものように、この世界で生きるのも悪くないという希望を読者にもたらしてくれます。美しい人です。

校正紙を受け取ったとき、「静河、鉛筆を1本持ってきてくれる？」と言ったら、鉛筆ならいくらでも転がっているのに、娘はわざわざ自分が大切にしている新しい鉛筆を削って持ってきてくれました。母に送る無言の声援だったのか、翻訳という作業に彼女なりの敬意を払ったのかはわかりませんが、浅田次郎を初めて読んだ日、私の手のひらぐらいの大きさにちぎったトイレットペーパーを持ってきて涙を拭いてくれたちびっこがもうこんなに大きくなったんだな、と思い、ふいに浅田次郎印の感動が湧き上がってきました。

――浅田次郎『姫椿』［韓国版タイトル『山茶花』］（文学トンネ、2005年）

浅田次郎という作家には、『天国までの百マイル』を翻訳したときに初めて出会った。日本小説を読んであんなにおいおい泣いたのは、後にも先にもこのときだけだ。当時5歳だった静河がトイレットペーパーを一切れずつ持ってきて涙を拭いてくれながら、「そんなに悲しい本なの?」と本を覗き込んだ。泣いているのに、心の中で「見てもわからないでしょ」と思って笑ってしまった。

『天国までの百マイル』は涙と鼻水まみれで読んだが、『姫椿』は最初から最後まで微笑みながら読んだ。きっと、世界でいちばん優しい女の顔をしていたことだろう。浅田次郎の短編は、一編一編が長編小説に劣らない感動をもたらす。彼の文章を読むと、明日から私も優しい人になれそうな気がするし、こんな世知辛い世の中だけど元気に生きていかなきゃ、という意欲がみなぎってくる。彼のすべての作品がそうというわけではないかもしれないが、少なくとも『姫椿』はそうだ。この本は、私が知人に好んでプレゼントする数少ない一冊でもある。作品が素晴らしいだけでなく、装丁まで美しいからだ。

---

死に対して病的な恐怖心を抱いていた小説家の高梨は、アマゾン探検隊に参加した後、死を賛美し、憧れるようになる。「誕生日は好きなように決められなかったから、せめて命日は自分の好きなように決めたいものだ」と、彼はかつてあれほど恐れてい

た死を味わいながら自殺する。ネコ科の猛獣を何よりも恐れていたある教授は、サファリパークを訪れてホワイトタイガーの前に横たわり、彼らに身を任せる。息子を失った後、残った娘まで失うかもしれないという病的な不安におびえていた女性カメラマンは、電車が通り過ぎる線路に娘を突き落とし、自らも飛び込む。

奇妙な方法で命を絶った彼らの共通点は、高梨と同じアマゾン調査隊に参加したメンバーだということ。はたしてアマゾンで何が起こったのか？　なぜ、彼らは最も恐れていたことを自ら選び、幸せに死んでいったのだろうか？（中略）

博学博識な作家、貴志祐介はいつもの彼らしく、医学、寄生虫学、HIV、証券、パソコンゲーム、ギリシャ神話、環境汚染、囲碁、将棋など、幅広いジャンルにわたる専門的な知識を本作でもあちこちに散りばめている。だから難しい。こんなふうに片時も手放せないほどおもしろい本でなかったら、すさまじい知識の量にひるんで、ページをめくることができなかったかもしれない。

原稿用紙2千枚近いボリュームで、翻訳する時間と同じぐらい勉強の時間を要する作品だった。作業が終わったら精根尽き果てて倒れるかもしれないと思っていたが、実際に終わらせた今は、空っぽの蔵に穀物を詰め込んだように胸がいっぱいだ。線虫たちのしわざで飛び出た突起のように、私の体からも人生への意欲がにょきにょき飛び出てきたのだろうか？　最後まで感嘆の声が絶えないほど素晴らしい作品だった。

> あとがきを読んでいるあなたが最初のページから順番にここまで読んできたのだとしたら、きっと私と同じ気持ちに違いない。
>
> ――貴志祐介『天使の囀《さえず》り』［韓国版タイトル『天使の囁き』］（チャンへ、2007年）

この作品は本当にいい小説で、好きな小説で、見るたびに心が痛む小説だ。仙台で暮らしている頃に着手して、ソウルで作業を終えた。その間に起こったことはすでにお話ししたが、私に流れた時間の中で最もつらい時間だった。そんな状況の中でも一日も休まずに訳した作品だから、なおさら切ない。あとがきにも個人的な話を少しばかり書いたが、校正のときに削った。たまにあとがきを書くときに感情が高ぶって、ろ過されていない言葉をむやみに並べてしまうことがある。幸い、校正紙が届く頃には我に返っているから、すぐに消す。この本も人生の激動期に訳した作品だったから、言いたいことが多かったのだろう。精神的にも経済的にも大きな力になった感謝すべき本だ。そして、そうした個人的な事情とは別に、実に素晴らしい小説だった。

> 初めて出会った作家なのに、その文章がまるで自分が書いたようにしっくりくる。ずっと「そうそう」とうなずいて、くすくす笑いながら共感しているうちに、気づけば最終ページだ。高級な料理ほど量が少ないのよね。もっとゆっくり味わって読めば

> よかったと後悔した。
>
> 難しい言葉ひとつなくシンプルで、技巧を凝らした文章ではないのに、独特のセンスがたまらない。類まれな才能だ。絲山秋子氏がデビュー年である2003年から3度も芥川賞候補に入り、次期受賞者として確実視されている作家だと知ったのは本を読んだ後だったが、まったく異論を挟む余地がないと思った。
>
> 『袋小路の男』は川端康成文学賞受賞作で、2005年本屋大賞で4位に選ばれた作品でもある。この作家は作品を発表するたびに芥川賞候補にノミネートされ、文学賞を受賞してきた。30代後半にデビューして以来、まさに踏み出す一歩一歩を華麗な足跡として残している。作家と同い年である私まで、つられて誇らしい気持ちになる。
>
> （中略）
>
> 一目惚れというのはこんな気持ちなのだろうか。絲山秋子氏の作品と出会えた喜びは、長く続いていくだろう。彼女がこれからも多くの作品で読者を楽しませてくれることを期待する。
>
> ――絲山秋子『袋小路の男』［韓国版タイトル『袋小路に住む男』］（作家精神、2005年）

絲山秋子の小説が大好きだ。『袋小路の男』も『沖で待つ』もそうだが、同い年の女性作家だからか感性も似ているし、そこかしこで炸裂するユーモアセンスと美辞麗句のない淡々とした文章はまさしく私好みのスタイルだ。うまく書かれた小説を読むたびに湧き起こる衝動だが、この作家の文章を読んでいると、小説を書きたいという思いが募る。いともたやすく小説を書いているように見えるからかもしれない。難しくもなく特異でもない言葉で身の回りの物語をするする紐解いていくうちに、素敵な小説がさらりと完成した、というような。もちろん、懊《おう》悩煩悶《のうはんもん》の末に生み出された作品なのだろうけれど。

最近は、決まった構成で訳者あとがきを書くことが多い。作家紹介、作品解説、翻訳所感。典型的なあとがきの形式だ。この書き方なら無難だし、少しは読者が読む際の手引きになっているのではないかと思う。3、4行の型破りなあとがきを書きたくなることもあるが、読者に本を紹介する立場の訳者がやることではないと思って自粛している。他の翻訳家の先生方が書いた次元の高いあとがきを読んだときは「私って、本当に翻訳家なのかしら」と思ってしまうけれど、私の簡単なあとがきを好きだと言ってくれる読者も多いから、これからも自分のスタイルで書いていくつもりだ。気楽に書かれた文章は、気楽に読めるだろうから。

# 私の企画は終わらない

私が企画持ち込みを始めたのは、〝自給自足〟のためだった。仕事が入ってこないなら、自分で探して食いぶちを稼ぐしかない。しかし、しだいに翻訳のオファーが増えて、入ってきた仕事をこなすだけでも精一杯になると、出版社に企画を持ち込むことはなくなった。その後もときどき日本に行って書店をめぐり、本を買ってくることはあったが、それは企画を立てるためというより職業柄、習慣としてやっていることだった。日本でいい作品を見つけて、韓国の出版社に提案したこともある。しかし、いつも先を行き過ぎていたせいで、いい作品は私の手によって日の目を見ることはなく、数年後に輝かしいベストセラーとなって書店に美しく並んでいた。ベストセラーリストに名を連ねた本や作家を見て、「私が数年前に企画書を送ったのに！」と残念に思うこともあったが、私より優れた訳者と出会ったからこそ、そんなふうに花開いたのだと思う。作品それぞれに合った出会いというものがあるから。

最近は企画書を書こうと決心して書くことはないが、日本作家のブログやAmazonでおもしろそうな本を発見したら、読者レビューやあらすじなどの情報を翻訳して編集者に知らせる。編集者が関心を持ったらエージェンシー経由で原書を入手して、私に送ってくれる。そうしたら、本を読んでレジュメを送る。日本の出版社に自分で版権の問い合わせをしたり、自費で本を購入したりしていた時代に比べたら、まるで遊びのように簡単だが、翻訳の仕事だけでも忙しくて積極的に取り組むことはできない。こんなふうに発見した本は、原書を取り寄せてくれた出版社が出さないという結論を出したら、もう他社に持ち込むことはない。理由は、特に仕事に困っていない、忙しい、最初の会社に義理立てするため、その三つのうちのいずれかだ。

あるとき、有名な日本ドラマの小説版を翻訳したらどうだろうと考えたことがある。視聴率のよかったドラマをノベライズした本だから、おもしろさは保証されている。奇抜なアイデアだなとしばらく一人で悦に入っていたが、本格的に企画を練ってレジュメを書く時間の余裕がなかった。もし企画に困っている出版社や翻訳家の方がいたら、参考にしてほしい。作品性の高さまでは望めないが、上手に選べば宝石のような作品もある。短所があるとすれば、ライセンス契約にテレビ局が絡むからちょっとややこしいという点だ（とても大きな短所でもある）。

これからは翻訳より、自分で文章を書く方向で企画を立ててみたいと思う。私はハングルさえわかれば誰でも読める、簡単な本を書きたい。がんばらなくても読める本、本嫌いの人でも読みたくなる本。たとえば、胎教のために本を読まなきゃとは思っているものの、学生時代から読書を避けてきた人のための本とか、ややこしくて小難しいことを嫌う若い層のための教養本とか。世の中には私のように堅苦しくて難しい本を嫌う人も多いだろうから、そんな人々にぴったりな読みやすい本を企画したい。

第4章

# 書くことの幸せ

# 両親の書き取り大会

父は今年で79歳になる。たまに実家に帰ったら、「お父さん、私が何歳か当てたら1万ウォンあげる」と、クイズとも言えないクイズを出す。現金が大好きな父だが、残念ながらいつも当てられない。毎回「おまえは今年いくつなん?」と聞かれて、「45でしょ」と答えると、「ほんまか!」と初めて知ったかのように驚く。そのたびに家族全員の年齢を教えるが、興味津々で聞いてはまたすっかり忘れてしまう。名前を覚えてもらっているだけでもありがたく思わないといけないようだ。

父はこの頃、万事が面倒らしく、私たちが里帰りするとしばらくは座っているが、すぐにふとんを敷いて横になってしまう。そんな父と何をして遊ぼうかと頭をひねった結果、書き取り大会をすることにした。参加者は母と父。母は小学校の校門の前にすら行けず、父は小学3年生まで通ったとはいえ70年も前のことだから、それなりに公平な大会だ。しかし、やはり父は「めんどくさい」と言って寝返りを打った。そうなることは予想していたから、用意しておいた賞金袋をちらつかせて、無理やりボールペンを握らせた。

数十年ぶりに書いた文字だから判読不能な部分もあったが、問題を出すたびに2人が真剣に書き取りをする姿は感動そのものだった。最終問題は「私は酒が嫌いです」。大酒飲みの父のことを思って出した問題だ。すると父は、そんな言葉は書けないと言ってボールペンを置いてしまった。やむを得ず、「私は酒が好きです」に変更する出題者。すると、父がくねくねと書いた回答は「私は酒が好でゝす」だった。「うわぁ、お父さん、〝酒〟の文字を正しく書けましたね！」。静河と2人で思いきり拍手して、賞金を授与した。もちろん、最初から賞金袋は二つあった。どんな書道家の名筆より貴重な、2人の「書」を買う代金だった。

これは、ある新聞に寄稿したコラムだ。子どもの頃は〝学のない〟両親のことが本当に恥ずかしかった。思春期真っ只中のときは、どうして私はこんな親から生まれたのだろう、と神様を恨んだこともある。親に恵まれていたら、私はもっと優秀だったはずなのに、と思いながら。めったにないことだったが、何かの折に母と先生が会話でも交わそうものなら、次の日から学校に行くのが恥ずかしくなるほどだった。両親は私の劣等感の根源で、なるべく隠したい存在だった。小学生の頃は、きっとどこかに本物の素敵な両親がいるに違いないという妄想までしていた。

そんな私が大人になってからはこのとおり、〝無学な両親〟を自慢している。コラムの執筆依頼を受けたときも、ブログにも、両親の天然エピソードを誇らしげに書いている。たとえば、こんな話だ。母が友達から誕生日プレゼントをもらい、「娘さんに聞いてみて。これ、えらい有名なメーカーやねんで」と言われたらしい。母に聞かれた。「あんた、コモン《黒い》ブラジャーとかいうメーカー知ってる？　えらい有名なメーカーらしいんやけど？」。

母には、常識的に考えて〝黒いブラジャー〟などというメーカー名をつける人はいないだろう、という発想がない。でも、賢い（？）私にはすぐにわかった。南大門市場のコモンプラザ［COMMON PLAZA 婦人服の商店街］で買った商品なのだろう、と。コモンプラザだと訂正すると、母は〝コモンブラジャー〟よりもっともらしく聞こえたのか「ほんまに有名なメーカーなんやなぁ」とうなずいていた。

父について書くときは、いつも誠実なところを自慢する。あなたの人生はジェットコースターだった。高いところからガクンと落ちたときも、父はどん底から再起を図った。そんなふうに這い上がったところからまた落ちたときも、あきらめることなく少しずつのぼっていった。3回目に落ちたときはもう70歳だった。手にしたものをすべて失った。これ以上、何かを始める意欲も気力もないだろうと思った。ところが父はリヤカーを手に入れて、古紙回収を始めた。長年、社長と呼ばれて生きてきた人が、一日も休まずその仕事を続けた。タイムカードを押さなくてはいけないわけでもないのに、猛暑であろうと酷寒であろうと、お願いだから今日は休んでと私が電話でどんなに訴えても、「行かなあかん」と必ず出て行った。

スクルージおじさんよりもひどいケチなうえに、よくばりで自分勝手な老人だから、いい父親だなんて口が裂けても言えないが、その誠実さだけは本当に金メダル級だ。

私がこんなふうに新聞に文章を書かせてもらえるようになったのは、もしかしたら、話し上手な父のおかげなのかもしれない。父はそんじょそこらのおばさんでは太刀打ちできないほどの話し好きだった。知り合いの宴会や商店街に行ったりすると、家の玄関を出てから再びドアを開けて家に入ってくるまでに会った人や起こった出来事、食べた料理などについて、ものすごくくわしく家族に聞かせてくれた。

たとえば、「家の前でミジャのおとんに会《お》ったんやけど、ミジャは今年高校に上がるらしいで」から始まり、宴会や商店街で起こった出来事、その場にいた人々の描写を経て、自分の暮らす町に戻ってきてから家に着くまでの道で見かけた野良犬のことまで、ひとつ残らず話すのだ。その話があまりにもおもしろいので、父が田舎の親戚の家に1泊2日で行ったときは、ずっと父の帰りを待ちわびていた。やがて父が帰ってきてから聞かせてくれる土産話の何とおもしろかったことか！　父が普通に学校に通えていたら立派な作家になれただろうと幼心にも切なくなるくらい、起承転結が完璧で、人物や状況の描写に優れ、ユーモアまで備えた見事な語り手だった。両親は書きものをすることはなく、私の兄弟の中にもそれほど文章が上手な人はいないのに、私だけがとりわけ文を書くのが好きなのは、末っ子で父の話をいちばん長く、いちばんたくさん聞いて育ったおかげではないかと思う。

# 初めての執筆依頼

翻訳を始めて10年ほど経った頃、初めて原稿の執筆依頼というものを受けた。ある月刊誌に「2、이［韓国語で数字の2を表す］、two、Ⅱ」というテーマでコラムを1本書いてほしいという。テーマを聞いただけで、なぜ私にこの依頼が来たのかピンとくるのではないだろうか？　うちの母流に解釈するなら、作家が1等賞で翻訳家は2等賞。だから、翻訳家に原稿を依頼しよう。と、こういうわけだ。

原稿依頼のとき、担当者はこう言った。

「先生は大学までしか出ていないのに、こうして翻訳家として成功なさったじゃないですか。それで執筆依頼を差し上げたんです。大学生たちにとって、ロールモデルになると思いますので。作家の陰にいるナンバーツーとして、翻訳家のエピソードを書いていただけたら幸いです」

何事においてもそうなのだが、執筆依頼の2回目以降は覚えていない。2度目はどこから入ってきたのか、何を書いたのか思い出せない。しかし、この初めての執筆依頼だけは担当者の声まで覚えている。喜ぶべきなのか悲しむべきなのかわからない依頼の言葉が印象的だった。

コラムが掲載された雑誌もまだ本棚に並んでいる。この10年間、国境まで飛び越えて6、7回は引っ越しをしたから、手放してしまった本も多いが、この雑誌だけはきちんととってある。初めて依頼されたコラムにはどんなことを書いたんだっけ、と久しぶりに雑誌を開いてみた。

---

訳者は常に作家の後ろに隠れているような存在ではあるが、作家の思考や作家が選んだ言葉、作家のメッセージが読者にどれだけ正確に伝わるかは、訳者の才能にかかっている。小説家が自然分娩で赤ん坊を産む妊婦だとしたら、翻訳家は帝王切開で赤ん坊を産む妊婦だと思う。痛みの差は大きいだろうが、痛みを伴わずに産み落とされる赤ん坊はいない。

「浅田次郎の優雅で秀麗な文章に魅了されました」

これは、私が翻訳した作品についての読者レビューだ。私は指が動かなくなるそのときまで、素晴らしい作家のための脇役を喜んで続けるだろう。それが私に合った、この世でいちばん幸せな役割だと思っている。

---

初めて世にお披露目する〝私の文章〟だったせいか、だいぶカッコつけて書いた。まだ10年しかやってないのにすっかり翻訳家ぶっちゃって、と片腹痛い気持ちにさせられる。それでも、この当時に手がけた翻訳の原稿よりはマシかもね。

それはさておき、このコラムを皮切りに、ときどき雑誌や新聞の執筆依頼が入ってくるようになった。雑文を書くのは大好きだから、最初は書く機会をもらえることがひたすらうれしかった。学生の頃、一度でいいから雑誌に載りたくてコツコツ文章を投稿していたことを思うと、大人になって執筆依頼を受けている自分が誇らしいかぎりだ。「成功したんだね」と自分を褒めることもある。静河にもときどきそんな話をする。どんな分野の仕事であれ、あなたもいつか原稿の執筆依頼を受ける人になったらうれしい、と。それが私のささやかな願いだ。誌面で娘の名前を見ること。今は私が娘の名前を書いているが、いつか娘が私の名前を書いてくれること。

　これほど光栄な執筆依頼なのに、翻訳の仕事が忙しくてやむを得ず断ることがある。実に皮肉なのは、あちこちに掲載されたコラムのおかげで知名度が高まって翻訳の仕事が増え、忙しくなって執筆依頼を断るようになったということ。これがいわゆる〝うれしい悲鳴〟というものなのだろうか。

　でも、文章を書くときも翻訳するときと同じぐらい幸せだ。児童文学家と小説家になりたいという幼い頃の夢を今も捨てずに持っている。翻訳の締切に追われてなかなか着手できないけれど、書いてもいないくせに、いろいろな文学賞の応募締切日をついチェックしてしまう。『ワンドゥギ』［2008年に発行された金呂玲（キム・リョリョン）のベストセラー小説。2011年にユ・アイン主演で映画化］みたいな素敵な成長物語を一編書くのが私の夢だ。

そうそう、いろいろなところに文章が掲載されてよかったことがもうひとつある。翻訳した本が１００冊を超えても読んで連絡をくれる人はめったにいないが、雑誌や新聞にコラムが載ると、音信不通だった大昔の知人から連絡が来る。昨年は果樹園に嫁いだ女子高時代の同級生が『チョウンセンガク』［エッセイ専門の月刊誌］に掲載されたコラムを読んで、りんごを一箱送ってくれた。『ＴＶは愛を乗せて』［有名人が友人や恩人と再会を果たすヒューマンバラエティ番組］ならぬ「原稿は愛を乗せて」になって昔の友達から連絡が来るとき、この仕事をやっていて本当によかったなという気持ちになる。

# 日本語翻訳2等賞？

仕事が途切れたらどうしようという心配をせずに暮らせるようになってきた頃、『翻訳は私の運命――翻訳を愛し翻訳家として生きる6人6色』［チュルゴウンサンサン刊、2006年］という本が出た。カン・ジュホン先生［ノーム・チョムスキー作品などを翻訳］、キム・チュンミ先生［高麗大学名誉教授。元・韓国日本学会会長。2009年に日本の旭日中綬章を受章］、ソン・ビョンソン先生［『コレラ時代の愛』など中南米文学を翻訳］、イ・ジョンイン先生［人文・社会科学分野を専門とする翻訳家］、チェ・ジョンス先生［『アルケミスト 夢を旅した少年』などパウロ・コエーリョ作品を翻訳］との共著だ。すごく売れたわけではないが、私にとっては本当にありがたい本である。一介の翻訳家から、少しは注目を浴びる翻訳家になれたのは、この本のおかげではないかと思う。

著者の6人は、表紙の写真を撮影するときに初めて集まって挨拶を交わした。サブタイトルのとおり、見た目も性格も年齢も6人6色。共通点があるとしたら、翻訳家特有の善良さだろうか？（他の職業の方々に笑われるかな）そのときのご縁で、何人かの先生とは今も同志という意識を抱きながら連絡を取り合っている。

『翻訳は私の運命』は、6人の翻訳家が翻訳についての自身の哲学と人生をつづった本だ。事前の打ち合わせや調整はまったくなく、本が出版されて初めて、共著の先生方のパートを読んだ。〝翻訳は私の運命〟というテーマで、各自が書きたいことを自由に書いた。その言語圏に関心がなければやや退屈に感じる内容もあるかもしれないが、立派な先生方の素晴らしい文章が満載だ。私はこの本の中で唯一、翻訳家の日常的な身辺雑記を書いた。ささやかな経験談を気に入ってもらえたのか、おもしろかったという感想をたくさん聞いた。

本が大ヒットしたわけではないのに、これ以降、人生に多くの変化が起こったのは、新聞各紙に何度も取り上げられたからだろう。6人の翻訳家が書いたユニークなエッセイ集という話題性のおかげで、主要日刊紙に写真付きの記事やインタビューがでかでかと掲載され、大小さまざまな新聞の書評欄でも紹介された。そんなある日、近所のかかりつけ薬局に行ったら、薬剤師のおじいさんに「新聞見たよ」とうれしそうに声をかけられた。白髪のご老人なのに、それ以来なんと私を「先生、先生」と呼ぶようになったではないか。それで、その薬局にはもう行けなくなってしまった。町内で「先生」と呼ばれるのが気恥ずかしいということもあったが、すっぴんにふだん着で行くわけにはいかない。気づいたのがそのおじいさんだけだったというのが幸いと言えば幸いだ。

本が出版されてから、執筆依頼も頻繁に入ってくるようになり、翻訳のオファーもどんどん増えた。翻訳家としての私の人生は、この本が出る前と後とに分かれると言っても過言ではない。今でも契約書を交わすときにこの本を持ってきてサインをしてくれと言う編集者がいるが、その年は仕事の依頼の電話の半数以上が「先生、あの本おもしろかったです」という言葉から始まった。「だから、訳者にも著書が必要なんだな」と思った。共著にもかかわらずここまで反響があるなんて。他の先生方はどうだったかわからないが、私の場合はこの本が出てから暮らし向きが少しよくなった。

この本にまつわるおもしろいエピソードがある。いつもは本が出ても母に見せることはないが（見せてもわからない）、『翻訳は私の運命』は表紙に6人の写真が載っているので自慢した。

「お母さん、日本語と、アメリカ語と、フランス語の翻訳をしている人たちが本を書いたの。日本語のところは、教授の先生と私の2人で書いたんだよ。私、すごいでしょう？」

母は「んまぁ～」と言いながら、本当にすごいと喜んだ。「あんたは小さいときから賢かったからなぁ」といつものように褒めてくれて、にっこり笑った。母のリアクションからすると、本の説明をできるかぎり簡単にした甲斐あって、意味が正しく伝わったようだ。ところがある日、母と同じく天然キャラの親戚に聞かれた。

「あんた、日本語で2等になったんやて？」

「ん？ 何のこと？ そんな話、したことないけど。2等って何？」

「お母さんが言うてはったけど？ 日本語で2等になって本を書いた、って」

母の解釈では、教授が当然1等だろうから、私が2等、それで本を書いた……になったのだ。

「あぁ～。そうじゃなくて、本を書いたのよ。日本語の翻訳をしてる人の中では、教授と私の

2人が書いたってこと」

すると、親戚は言った。

「ほなやっぱり2等やな」

# コラムを書く楽しみ

国民日報［汝矣島純福音教会系列の日刊新聞］から「エッセイ」という連載コラムを書いてほしいと依頼されたのも、『翻訳は私の運命』のおかげだった。私の文章は理性的というより感性的だし、論理性にも欠けているから、新聞のコラムには適していないと思うのだが、「エッセイ」というタイトルなら書けそうな気がして喜んで引き受けた。

与えられた連載期間は3カ月。エッセイとはいっても、やわらかいテーマばかりを扱うコラムではないので、それまで見向きもしなかったテレビのニュースを熱心に見て、インターネットのニュース記事もじっくり読み、世間では今どんなことがイシューになっているのかを意識するようになった。私の人生において、あそこまで韓国の政治・経済・社会・文化に関心を寄せたのはあのときが初めてで、おそらく最後だと思う。

幸いなことに反応がよかった。知人たちの褒め言葉は社交辞令だったかもしれないが、その日の記事の中でいちばんおもしろかったという読者からのメールもちょくちょく舞い込んできた。牧師と自称する読者にプロポーズされたこともある。私のコラムの内容をいつも説教の時間に話しているそうで、私のような人間こそ牧師の妻にぴったりだという。私は無宗教であるばかりか、教会の説教の時間にふさわしいようなことはひとつも書いていないのに。プロポーズの言葉と共に、娘さんの留学と安定した生活を約束するというメールが何度も送られてきたが、こんなエピソードを作ってくれたことに感謝するだけにとどめた。

読者たちのそんな反応が新聞社にも届いたのか、あるいは編集委員も私のコラムを楽しく読んでくれたのか、連載をもう3カ月続けてほしいと頼まれた。一緒に書いていた執筆陣の中で、延長されたのは私だけだった。生活の足しになるほどの原稿料をもらっていたわけでもないし、毎週新しい話題をしぼり出すのはストレスだったけれど、いざ連載延長の誘いを受けたら、自分の文章が認められたことがうれしくなって、後先考えずに引き受けた。毎週テーマを見つけるのは大変だったが、6カ月間のエッセイ連載は本当にいい経験になった。連載の中で、特に話題を呼んだ一編をご紹介しよう。

## 今日の運勢

私の母は行き過ぎなほど迷信を信じていて、かつては他の人々が教会に通うかのごとく占い師のところに出入りしていた。おかげで私は、まだ母のおなかにいるうちから占いを経験した。私を妊娠したとき、すでに娘が3人もいた母は、また女の子なら産むまいと考えて、占い師に聞きに行ったのである。「確実に息子だ。いずれ大物になる」という言葉を信じて十月十日苦労したのに、生まれたのはまたしても娘だった。

母も父も落胆のあまり、赤ちゃんに目もくれなかったという。

それにも懲りず、何かにつけて占い師の元へ向かう母によくついて行った。占い師たちの言葉はいつも「無念の死を遂げた誰それの霊が取り憑いたせいで、家に厄災がふりかかったのだ」といった具合で、母はそんな霊がいることがわかるとはさすがだと惑わされてしまう。日本植民地時代に生まれて朝鮮戦争を経験した母の世代に、無念の死を遂げた人がいない家などあるだろうか。幼い私が聞いても、耳にかければ耳輪、鼻にかければ鼻輪［見方しだいで、いかようにも解釈できるという意味］に過ぎないものだったが、帰宅してからも母は腕のいい占い師だと感心しきりだった。

そんな経験から、私は大人になっても絶対占いになんか行かないぞと心に決めていた。ところがいつしか、新聞を広げたらすぐに今日の運勢をチェック。銀行で雑誌を手に取れば、目を輝かせて星座占いや血液型占いを熟読。後味の悪い夢を見た日は、目覚めるやいなやインターネットで夢占いを検索。いい言葉が書かれていればホッとして、悪い言葉が書かれていたらいつまでも気になるその占いを、探し回って読んでいた。今日はブルーの服を着て、東の方角に行けば素敵な出会いがあるのね。ブルーの服は持ってたかな？　うちから見て、東ってどっちだろう？　と真剣に首をかしげながら。鑑定料こそ払っていないものの、これでは占い屋に通って先の見えない未来を知りたがっていた母とまったく同じではないか。

数年前、有料サイトの今日の運勢マニュアルを翻訳したことがある。担当者いわく、ネガティブな結果が出るとイヤな気分になって次から利用しなくなるから、とにかくポジティブに書いてくれ、とのこと。私は指示されたとおり、翻訳というよりは創作に近い形で他人の運勢を操った。しかし、そもそもの目的は商売のためだとしても、それは実にナイスなアイデアだった。どうせピタリと当たるわけでもない今日の運勢。あなたはうまくいくでしょう、今日はいいことが起こるでしょう、というポジティブな予言を読んで、その人が気分のいい一日を送れるなら、それ以上にいいことはないだろう。

「あなたの今日の運勢は、超ラッキーです！」

## コラム いい作品は私の活力——私が愛する本

### 誰もが知っているタイトル——岩井俊二『ラヴレター』

ある日、出版社から電話がかかってきた。『Love Letter』という映画の原作小説のリーディングをしてほしい、と。『Love Letter』というタイトルを聞いた瞬間、口元がゆるみそうになった。当時、まだ日本映画は闇ルートからしか入ってきていなかったから、この映画を観たことのある人は多くなかったが、私は日本で暮らしている頃に観ていた〔1998年頃まで、韓国では日本のマンガや映画、J-POPなどの大衆文化の流入が法令で規制されていた。韓国で初めて一般公開された映画は北野武監督『HANA-BI』〕。私がその映画を観た理由は単純だ。男性主人公、豊川悦司のファンだったのである。劇中で〔中山美穂が演じる〕博子に想いを寄せる、ガラス工芸職人の彼だ。映画ではそこまでカッコよく登場するわけではないけれど、生まれて初めて好きになった俳優だった。

薄い原書が送られてきた。その場で一気に読んで、出版社に電話をかけた。本来ならあらすじを書き、抄訳をして、正式なレジュメを送るべきだが、そんなことは問題ではなかった。

「この本、絶対に出してください。本当にいい本です！」

長々と書いたレジュメなど必要ない。ふた言で十分だ。そして、ぜひ出版してほしいと言って、翻訳料金を少し値下げした。社長は感謝の言葉と共に「本が売れたら、あとでもっとお支払いしますね。そのときお会いしましょう」と言った。あとにしようと言う人は恐るるに足りない〔物事を先延ばしにする人は、結局それを実現できないという意味〕という言葉がある。どんな場合であれ真理だ。後日、映画が大ヒットしたおかげで本はベストセラーになったが、追加の報酬はもらえなかった。

そんなふうにして『ラヴレター』は出版された。私が強く推した本だが、序盤は売れ行きがよくなかった。広告を打っていないわりには好調だったものの、思っていたほどは売れなかった。そんな中、折よく日本文化開放政策が始まり、出版から1年半後に映画『Love Letter』が韓国公開されるなんて、いったい誰にわかっただろうか？　しかも、日本映画としては異例の大ヒット！　小説『ラヴレター』は映画のポスターと同じカバーに衣替えして再び書店に並び、その後しばらくベストセラーリストに名を連ねた。1位になったことはないが、着実にベストセラーの座を守った。

それまで私のプライドを守ってくれた『エクスタシー』は一瞬で吹き飛び、ついに誰に言っても伝わる代表作ができたのだ。純粋に、同じタイトルの映画のおかげだったが。

『ラヴレター』をきっかけに仕事の依頼も増えた。映画『シングルス』〔1994年に大ヒットした日本のドラマ『29歳のクリスマス』をリメイクした韓国映画。2003年公開〕の原作小説『29歳のクリスマス』も、『ラヴレター』の翻訳が気に入ったといって依頼された。『29歳のクリスマス』は東京に住んでいた頃に好きだったドラマだ。そう考えてみると、映画『素晴らしい一日』〔2008年公開の韓国映画。イ・ユンギ監督。ハ・ジョンウ、チョン・ドヨン主演〕の同名原作小説〔『素晴らしい一日』平安寿子〕や『食堂かたつむり』〔小川糸による2008年の小説。2010年、柴咲コウ主演で映画化〕、『かもめ食堂』など、映画化された小説に縁があった。映画はメディアにたくさん取り上げられるので、映画を観ていない人でもタイトルぐらいは覚えている。だから、翻訳した小説が映画化されたり、映画の原作を翻訳したりすると、訳者にもいい宣伝の機会になる。

## 復刊の喜び——桐野夏生『柔らかな頬』

桐野夏生の小説の中でも白眉の出来といわれる『柔らかな頬』は、静河が5歳のときに初版が出た。上下2巻からなり、1999年の直木賞受賞作だったので「20世紀最後の直木賞」という帯を巻いて出版された。この作品は、出版社が他の訳者に翻訳を任せたが、仕上がりに満足できないとのことで、改めて私に翻訳依頼がきた。そのため与えられた作業期間が短く、翻訳の仕事をスタートして以来、初めて昼夜の別なく時間に追われて訳した。1日10時間以上作業をしたせいで手首を傷め、電気治療を受けつつ働いたのもこの作品が初めてだ。あまりにも短期間に大量の翻訳をしたので、本が出版されるいなや最初の訳者が「こんなに短い時間で訳せるはずがない。私の翻訳原稿を写したんだ」と出版社に抗議したという。間違った翻訳に手を入れていくより、新たに訳したほうが早いということをまさかご存じなかったのだろうか。出版社や読者から翻訳がいいという褒め言葉をいちばんたくさん聞いたのもこの作品だ。翻訳の実力はいつもそれほど変わらないはずなのに、好評なときもあれば酷評されることもあるのは、やはり作品との相性があるからだと思う。そういう意味で、『柔らかな頬』との相性は抜群だったようだ。ミステリーものなので、最初から最後まで犯人の予想がつかない迷路のようなストーリーにも引き込まれたが、静河と同じ年頃の娘を誘拐されて罪悪感に苦しむ母親の物語であるだけに、感情移入せずにはいられなかった。

いつまでも忘れたくないこの小説が、それから10年後に復刊されることになったときはどんなにうれしかったことか！　桐野夏生の骨太な作品の出版を一手に引き受けているファングムカジ社から、新たに出版契約を結んだと連絡が来たのだ。この出版社には桐野夏生の作品を担当する専属翻訳者がいるが、『柔らかな頬』は翻訳の評判がいいので初版本の訳者に任せると言われた。

再翻訳は通常、初版の翻訳と原書を照らし合わせるところから始まる。訳文が気に入らない場合は初めからやり直すが、この作品は初版の翻訳が悪くなかったので部分的な修正だけで済んだ。復刊された後、初版と変わらないじゃないかという読者の声もまれにあったが、再翻訳するのと同じぐらい苦労して原書を見直し、手を入れるべき文章には手を入れて、翻訳の誤りも修正した。復刊本だからといって、丸ごと訳し直す必要はないのではないだろうか。原文は変わっていないのだから。翻訳は十人十色といわれるが、原文に忠実に訳した作品なので、他の訳者がチェックを担当したとしても大きな変更はなかっただろうと思う。

初版が出た頃、韓国ではまだ無名だった桐野夏生さんは、今では大勢の愛読者を持つ大物作家になった。私もまた、多くの本を翻訳して成長した。そして、『柔らかな頬』は桐野夏生ファンに最も愛される本になった。

## 彼の文章が好きだ――村上龍『ワイン一杯だけの真実』

私が最も多くの作品を訳した作家は村上龍だということを、自分でもすっかり忘れていた。『エクスタシー』『オーディション』『ワイン一杯だけの真実』『2days 4girls』『THE MASK CLUB』など。かつては、村上龍の作品が本当に好きだったことも忘れていた。訳者は訳し終わった作品の作家をたちまち忘れ、現在の作家だけに心血を注ぐ傾向がある。新しい作品を翻訳するたびにこの作家は最高だと称賛するが、訳者あとがきを書いたらバイバイ。すぐ次の作家を迎えて、新しい恋を始める。村上龍を最後に翻訳したのは7、8年前だから、忘れてしまうのも無理はない。でも、村上龍の本を翻訳したときの喜びのようなものはいまだに忘れられない。村上龍の小説は「SM、セックス、ドラッグ」に満ちている。そんなテーマの小説を翻訳して喜びを感じるなんて、あなた変態じゃないの？　と言われるかもしれない。そうではない。私は村上龍の文章が好きなのだ。訳者にも自分と相性のいい作家がいるが、村上龍はまさしくそんな作家である。文章が指先にぴったり絡みついてくるような感じだ。まるで自分が書いた文を訳しているみたいに。作家の性別とは関係ないらしい。私にはまったく合わないなと思った作家がいたが、それは女性だった。

『ワイン一杯だけの真実』が出版されてからずいぶん経つが、ワイン同好会やワインカフェなどワイン愛好家が増えたことによって、今もクチコミで話題になっている。ときどきネット上で見かけると、とてもうれしい。

エージェンシーの紹介で初めて訪れた出版社で、この作品の翻訳を依頼されたときの言葉。

「この本の翻訳がよかったら、契約済みの村上春樹短編集が3冊あるので、そちらもお任せしますね」

そうだった。これは、村上春樹が懸かった仕事だった。ハハッ。

## 翻訳家の栄光――村上春樹『パン屋再襲撃』『ホタル』『回転木馬のデッドヒート』

村上春樹。聞いただけで心が震える名前。日本小説を翻訳する人間にとってはそうだ。私が日本小説の翻訳家でなかったとしても村上春樹の作品が好きだったかどうかはよくわからない。身近な40代、50代がそこまで村上春樹好きではないところを見ると、私たちの世代の好みではないのかもしれない。読者としての好き嫌いはともかく、翻訳家にとって村上春樹作品を翻訳するというのは光栄なことだ。

この3作は、前述の理由で私の元にやってきた。ところがそのとき、私は別の作品を翻訳中だった。村上春樹様の翻訳依頼が入ってきたというのに（キャリアも実力もお粗末な30代の私に）、すぐには取りかかれない状況だった。出版社は当然急いでいた。訳者は増えており、村上春樹作品なら誰もがやりたいと大騒ぎするだろう。作業中の作品を差し置いてでも引き受けるべきだが、私の原則は〝先着順〟。先に入ってきた仕事が優先だ。受話器に向かって、通用しそうにもない愛嬌を振りまきながらお願いした。

「1カ月だけ待っていただけないでしょうか？　1カ月だけお待ちいただけたら、私、翻訳料金はいりませんから……！」

ありがたいことに待ってくださった。おそらく、20年の翻訳人生の中でいちばんうれしい瞬間だったと思う。もちろん翻訳料金ももらった。

10年という歳月が流れ、数えきれないほどの作品と出会って忘れていた村上春樹、彼に再会した。文学トンネという出版社でこの3冊が復刊されることになり、翻訳の手直しをすることになったのだ。あぁ、10年ぶりに開いてみたら、1行読むごとに「村上春樹、最高！」と思わず称賛の声がもれた。特に、『パン屋再襲撃』は無限の称賛。『1Q84』になぜかよそよそしさを感じたので、10年ぶりの村上春樹との再会がなおさらうれしかった。村上春樹はやはり短編でこそいっそう輝くような気がする。

## とびきりの〝孝行息子〟——恩田陸『夜のピクニック』

『夜のピクニック』がここまでロングセラーになり、恩田陸がここまで有名になるなんて、きっと出版社もまったく予想していなかったことだろう。実際、私ですら『夜のピクニック』のリーディングをしたときは、ずば抜けていい作品だとは思っていなかった。すみずみまで読んでいなかったせいもあるし、〝無名の作家〟の作品という先入観のせいでもある。日本では注目を浴びつつあったが、韓国ではまだまったく知られていない作家だった。長年の経験から言うと、日本小説は有名作家の作品や文学賞受賞作品でないかぎり、どんなにいい作品でも〝売れる〟のは難しい。だから「恩田陸」という、初めて聞く作家の小説がどんなによかったとしても、韓国で大ヒットとはいかないのではないかと思っていた。「この作品はいいのか？　悪いのか？　推薦したら、あとで責められるかな？　でも、青少年にはウケそうよね？」。レジュメの所感を書きながら、だいぶ葛藤した。

出版社も翻訳権取得のオファーを出したまま忘れていたらしい。数カ月経ち、『夜のピクニック』が吉川英治文学新人賞を獲ったと聞いて編集者に電話をしたら、「あ、そうだ。あの本、どうなったんだろ。確認してからご連絡しますね」と言われた。それから10分後、契約済みだと電話をくれた。

『夜のピクニック』は孝行息子だ。翻訳出版の契約後に吉川英治文学新人賞を受賞し、本屋大賞にも輝いた。私がもし「イマイチです」というレジュメを送っていたら、恩田陸は高額の前払い印税を提示する多数の出版社の中から1社を選んで契約を交わしていたことだろう（恩田さん、ごめんなさい）。やはり、本には出会いのタイミングというものがあるようだ。

『夜のピクニック』の翻訳作業が半分ほど終わったあたりから、親しい編集者たちにしょっちゅうこんな話をするようになった。

「恩田陸を逃しちゃダメですよ」

「恩田陸って誰ですか？」

「若い作家ですが、これからものすごく売れると思います。その前につかまえておかないと」

「あ……。うーん……。はい……」

誰もがこんな反応だった。当然だ。韓国ではまだ1冊も本が出ていなかったから、読者がどんなふうに彼女の作品を受け入れるのかわからなかった。たいして〝勘〟もなさそうに見える翻訳家の話だけを信じて契約するのは冒険だし、無謀な冒険など誰もしたくなかったのだろう。

訳せば訳すほど、『夜のピクニック』の魅力にずぶずぶハマっていった。日本のウェブサイトで彼女の小説に関するレビューを読むと、誰もが私のように〝ずぶずぶハマる魅力〟に悶えていた。韓国でも遠からずそうなるだろうと確信した。

いよいよ『夜のピクニック』が出版され、恩田陸はやはり大きく羽ばたいた。日本で青少年読書感想文全国コンクールの課題図書に選定された本書は、大人たちの間にも学生時代の郷愁を呼び起こし、今なお書店に平積みされている。予想どおり、恩田陸は韓国の同じ出版社から発行された二つ目の作品『三月は深き紅の淵を』で大ブームを巻き起こし、『麦の海に沈む果実』『黄昏の百合の骨』をはじめ、さまざまな出版社から続々と出版された作品によって多くのマニアを生み出した。

## 作品の中と外の素敵なおばあさん――田辺聖子『姥ときめき』

『姥ときめき』は、77歳のおばあさんである歌子サンが20代に負けないくらい潑剌と人生をエンジョイする物語だ。この作品で私がしたことといえば、3人の素敵なおばあさんの活躍をちょっぴりサポートしたことぐらい？

この本は初めて共同翻訳で作業した。共訳者は、80代のおばあさん、イ・ハクソン氏。ところで、その方法がちょっと風変わりだった。半分ずつに分けたり、どんなふうに翻訳するのか額を合わせて相談したりしながら訳したのではなく、私が依頼を受けたときはすでにハクソン氏が翻訳を終えた状態だった。ハクソン氏が心を込めてノートに訳した原稿を、大学教授である息子さんがデータ化して出版社に持ち込んだという。出版社は原稿を検討して、翻訳権取得の契約を結んだ後、共同翻訳という形で仕事を引き受けてほしいと私に依頼した。おばあさんの感動的な翻訳と息子さんの孝心に惚れ込み、私は喜んで承諾した。そして、本にはどうぞイ・ハクソン氏のお名前だけを載せてくださいと言った。結果的にその申し出は採用されず、共同翻訳として出版されることになったが。

主人公のおばあさんと共訳者のおばあさんに続く、3人目のおばあさんは、この本の著者である田辺聖子氏だ。日本のパク・ワンソ［朴婉緒（1931-2011年）韓国文学の巨匠］とでも言おうか、『ジョゼと虎と魚たち』でも有名な1928年生まれの田辺聖子氏はパク・ワンソ氏と同じく、70歳を過ぎてから現役で活躍した。若者たちに決してひるまず堂々としている歌子サンのように、田辺聖子氏も「年齢なんて関係ある？」とばかりに若々しい感性を誇る恋愛小説をたくさん書いてきた。この3人のおばあさんの活躍は、〝若年寄り〟のような私には憧れることすらおこがましいほどカッコいい。

本の出版前、編集者と一緒にイ・ハクソン氏のお宅にご挨拶に伺ったとき、実際の翻訳ノートを見せてもらうことができた。70代の頃に『姥ときめき』を読み、感動して翻訳を始めたという。世に出せるかどうかもわからないのに、食事のとき以外は一日中、食卓で翻訳をしたそうだ。手書きで書かれた数冊のノートは感動そのものだった。パソコンで打っても大変なのに、ボールペンで几帳面に書かれた文字……。そして、おいとまするときに感動がまたひとつ。エレベーターまで見送ってくれたハクソン氏の娘さん（60歳を超えた方だった）がはいていたスカートが素敵で、「そのスカート、すごくおしゃれですね。どちらでお買いになったんですか？」と聞いたら、「ちょっと待ってて。これ、脱ぎますね」とすばやく家に戻り、紙袋に入れたスカートを渡してくださるではないか！　しかも、そのスカートはご本人のハンドメイド作品だった。驚いた。数年が過ぎた今もそのスカートをはくたびに「年齢は数字に過ぎない」と自ら証明してみせた素敵な3人のおばあさんのことを思い出す。私もあんなおばあさんになれるだろうか。

## 断トツ最高——天童荒太『悼む人』

毎年上半期と下半期の2回、直木賞受賞作が発表される。職業が職業だけに日本の文学賞の結果はいつも気になるが、第140回直木賞の結果はいつも以上にドキドキして待っていた。当時、翻訳中だった恩田陸の『きのうの世界』がエントリーされていたからだ。直木賞受賞作は版権をめぐる獲得競争が激しい。だから、ちょうど今訳している本が受賞したら、こんなにラッキーなことはない。『きのうの世界』は作品も素晴らしかったが、恩田陸が候補に挙がったのは3回目だからひそかに期待していた。

しかし残念ながら『きのうの世界』は落選し、天童荒太の『悼む人』が受賞した。『きのうの世界』をおさえて受賞するなんていったいどんな作品なのだろうと思って検索してみた。生と死をテーマとしたあらすじがとても魅力的だった。レビューも称賛一色だ。あぁ、気になる。この本を私が翻訳できたらどんなにいいだろう！　しかし、望みは薄かった。直木賞受賞作は翻訳家ならぜひともやりたい作品だが、受賞するのは1作で（複数作が同時受賞するときもあるが）、翻訳家は多い。それこそ運だ。だから、ふだんは受賞作の発表を見ても「今回はこんな本が選ばれたんだな。誰が翻訳するんだろう」と思うぐらいでやり過ごす。それなのに、この本にはどういうわけか強烈に惹かれた。

発表後、折よくレジュメの依頼が入ってきた。そんなふうに読むことになった『悼む人』は、それまでに私が訳してきた本の中で最高の作品だった。何としても翻訳したいと欲が湧いた。この本が他の人の翻訳で書店に並んでいるところを見たら、いつまでも心が痛みそうだった。強く願えば叶うって本当なのかな？　と半信半疑ながら引き寄せの法則を試し、暇さえあれば「『悼む人』の翻訳依頼が必ず私に来ますように」と心の底から祈った。

本当に引き寄せの法則が通じたのか、至誠天に通ず［真心を尽くして行動すれば、天に認められて報われる］と言うべきか（まだ何も行動してないけど）、あるいは、もともと私のところに来る運命の本だったから初めて見たときあんなに強烈な印象を受けたのかわからないけれど、『悼む人』は私の元にやってきた。あぁ、私の翻訳人生の中で2番目にうれしかった瞬間だ。恩田陸さんの訪韓に合わせて『きのうの世界』を出版すべく一刻を争って翻訳している最中だったのに、『悼む人』は読後2日ぐらいぼんやり余韻に浸ってしまった小説だ。そんな作品を依頼されて、どれだけうれしかったことか。

出版社（文学トンネ）も『悼む人』にかなり期待していて、翻訳と同時に編集作業を進めるから、できるかぎり早く出そうと言った。私も素晴らしい作品を早く読者に読ませたい一心で、楽しく翻訳をした。そして、訳し終わった原稿を3分の1ずつ編集者に送った。こうして作業が終盤にさしかかったある日、翻訳家のヤン・ユンオク先生から電話があった。

「私、大作をやることになったんですよ」

「えっ、先生、もしかして……？」

「うん、『1Q84』」

「うわぁ～。おめでとうございます！　どこから出るんですか？」

「文学トンネ」

あぁ……文学トンネの期待作だったのに、一瞬にして刊行が後回しになった私の『悼む人』。案の定、その数日後に編集者から『1Q84』を先に出すことになったので『悼む人』の出版を延期するという電話がかかってきた。

ふだん私は原稿を納品した後、翻訳料金の入金は今か今かと待つが、出版日に関してはそうでもない。そのうち出るだろうと忘れて過ごし、出版されたら喜んで迎え入れるというか。でも、『悼む人』だけは、翻訳を始めた瞬間から出版の日が待ち遠しかった。出版社はそんな私の思いをご存じなかったのか、パウロ・コエーリョの本までさらに1冊、割り込ませてくださいまして。結局、『悼む人』は納品してから8カ月後にようやく日の目を見た。この本に一目惚れしてから1年が経っていた。やはり期待を裏切らない気の利いた装丁と、見事な編集の素敵な本！　感動だった。

作家の天童荒太さんはインタビューで「この本が韓国でたくさん売れたのは翻訳が上手だったおかげだ」と言ってくださった。社交辞令的なコメントではあるが、翻訳家について言及してくれたことがありがたかった。しかし、こんな作品なら誰が翻訳しても名作だったはずだ。今後の翻訳生活で『悼む人』のような作品にまた巡り合うことはあるのだろうかと思うほど、私にとって最高の作品だった。

## 映画の感動をつなぐ――群ようこ『かもめ食堂』

映画『かもめ食堂』がクチコミによって若い女性の間で人気を集めているという話は聞いていたが、観てみようとは思っていなかった。こんな話をすると、実に哀れで情けなく見えるかもしれないが、私はこの数年間、映画1本、ドラマ1話観る時間すら惜しんで生きてきた。後輩たちが映画や日本ドラマの話をしているのが心底、不思議だった。締切に追われているはずなのに、どこからそんな余裕が出てくるの？　うらやましかった。私が映画館に行くのは、娘と一緒に観たい映画があるときだけ。それも1年に1度ぐらい、親子の親睦を図るために。

でも昨年、恒例行事のようにスランプが訪れたときだっただろうか。少しは自分のための時間をもとうと考えた。翻訳の仕事も好きでやっていることではあるけれど、その根本的な目的は、働いてお金を稼ぐということではないか？　自分のために使う時間はインターネットを見るつかの間のひとときだけだと思ったら、急に人生が虚しく感じられてきた。それで、そのとき初めて深夜0時頃に仕事を切り上げて、缶ビール片手に日本映画やドラマを見た。普通の人は寝る時間かもしれないが、私にとってはいちばん仕事がはかどるゴールデンタイムだ。そんな時間に仕事の手を止めて、自分のための時間を作ったのである。そのとき観た映画が、誰かが感想を熱く語り出すたびにいつも押し黙って聞いているだけだった『かもめ食堂』だ。食卓で缶ビールを飲みながら、ノートパソコンで鑑賞した『かもめ食堂』の感動といったら……！

最初から最後まで水が流れるようにひたすら穏やかな1本の映画は、1枚の水彩画となって私の心にしまい込まれた。それから半月ぐらいは、0時になったら仕事をストップして自分のための時間を過ごしていたが、結局、締切のプレッシャーに負けて贅沢な趣味の時間を手放してしまった。まだ楽しむときではない気がした。それでもまだ『かもめ食堂』の余韻から抜け出せずにいた頃、なんと出版社から『かもめ食堂』の原作小説を翻訳してほしいという電話がかかってきた。宝くじに当たるよりもうれしい幸運だ。あまりにもうれしくて、初めて連絡をくれた編集者にちょうど最近『かもめ食堂』の映画にハマっていたところだと伝えて大喜びした。そして、あらゆるスケジュールを少しだけ後回しにして、翻訳に取りかかった。

この本を翻訳していたら、映画やドラマのネタバレをする人の気持ちがわかった気がした。『ラヴレター』は映画と原作がセリフまでまったく同じだが、『かもめ食堂』には映画で描かれていない3人のビハインドストーリーがくわしく出てくる。かもめ食堂のオーナーであるサチエはフィンランドに食堂を開く資金をどうやって調達したのか、彼女はどんな幼少時代を過ごしたのか。『ガッチャマンの歌』の歌詞を教えてくれたミドリは東京でどんな仕事をしていたのか、空港で荷物を紛失したマサコはどんな経緯でフィンランドにやってきたのかなど、映画を観ていて気になった謎がすっきり解消される。そのエピソードを翻訳していると、映画を観た人たちに教えたくてたまらなくなり、本が出版されるまで口がムズムズした。

原稿を納品してしばらく経った頃、担当編集者から「校了後に、勢いでフィンランド旅行を予約してしまった」というメールが届いた。「先生のソウルフルな翻訳に背中を押されて」と。死ぬほどうらやましかった。冬の寒い時期に、思いきってフィンランド行きを決められる若さと情熱が……。

装丁まで美しい『かもめ食堂』は、私が愛してやまない大切な本になりそうだ。

# 訳者あとがき

『翻訳に生きて死んで——日本文学翻訳家の波乱万丈ライフ』は、30年以上の経歴をもつ日本文学翻訳家クォン・ナミさんが40代半ばの頃に書き下ろしたエッセイ集だ。50代に入って上梓したエッセイ集『面倒だけど、幸せになってみようか——翻訳家クォン・ナミエッセイ集』（サンサンチュルパン刊、2020年／未邦訳）、『ひとりだから楽しい仕事』（マウムサンチェク刊、2021年／日本語版は平凡社刊、2023年）のヒットを受けて、2021年、10年ぶりに改訂・復刊を果たした。本書はその全訳である。

2023年に著者初の邦訳本『ひとりだから楽しい仕事——日本と韓国、ふたつの言語を生きる翻訳家の生活』が発行されると、日本の読者からも「クォン・ナミさんのエッセイをもっと読みたい」という声が多く上がり、こうして日本語版が発行されることとなった。

村上春樹、小川糸、益田ミリをはじめ、300冊以上もの日本作品を韓国語に翻訳してきたクォン・ナミさん。本書には、90年代に翻訳の仕事を始めることになったいきさつや出版社に企画を持ち込んでいた日々、初めてのベストセラー誕生秘話など、経歴20年目までの波乱万丈な翻訳ライフが軽快につづられている。ひとり娘である静河さんの成長記をはじめ、『ひとりだから楽しい仕事』の前日譚のように楽しめるエピソードも満載だ。

さらに、翻訳料金や報酬未払いの苦労話、日本語の文章を韓国語に翻訳をする際のヒントなど、〝翻訳の実際〟についてもくわしく書かれている。幅広いジャンルの日本小説がいくつも登場するので、ブックガイドとしてもおもしろい。今まで知らなかった作品と出会うきっかけになり、読んだことのある本も改めて読み返したくなる。

本書の翻訳を担当することになったとき、クォン・ナミさんからこんなメールをいただいた。「後半に『翻訳と解釈の違い』みたいな項目が出てきますよね。もしそういう日本語の書籍を韓国語に訳すことになったら、私も悩みに悩むと思います^^;」

まさに悩みに悩んでいた箇所だったので、お気遣いがとてもありがたく、心に沁みた。具体的な翻訳例が登場する「解釈と翻訳の違い」（１４６頁）や「部品か？　ビニール袋か？」（１５７頁）などの項目は、解釈と実際の翻訳文の違いがわかりやすいようにできるかぎり直訳し、ハングルの原文も入れる予定だとお伝えした。その後も「ビールがお好きなら、今度ソウルで一杯やりましょう！」「読みながら、もしひっかかる箇所があったら、自由に削除してくださいね。韓国の編集者にもいつもそうお伝えしているんです。私には自分の本を読み返せない持病があるのでじっくり読めてはいませんが、削除したい部分もあった気がします」といったあたたかいメールにとても励まされた。翻訳作業の最中に「ここまで書いたところで静河が仕事から帰ってきたので、遅い時間のご連絡になってしまいました」とライブ感あふれるメールが届くのは、とても不思議で貴重な体験だ。ナミさんと静河さんのことをずっと考えながらパソコンに向かっていたので、まるで映画の主人公にスクリーンから話しかけられたような気分になった。

近年の訳書は、織守きょうや・坂井希久子・額賀澪・原田ひ香・柚木麻子による短編小説集『ほろよい読書』、ミニチュア写真家・田中達也の絵本『くみたて』、青山美智子『月曜日の抹茶カフェ』、益田ミリ『小さいコトが気になります』など。2023年11月には新作エッセイ『スターバックス日記』(ハンギョレ出版社刊)が発行され、ベストセラーとなっている。子育てから完全に手が離れて空の巣症候群になり、初めてスターバックスにノートパソコンを持ち込んで仕事をするようになった日々の愉快な記録だ。このほかにも執筆契約を交わしたエッセイが数冊あり、すでに3年先まで出版スケジュールが埋まっているとのこと。エッセイストとしても、翻訳家としても、まさに飛ぶ鳥を落とす勢いで活躍中だ。

ちなみに、本書の中でナミさんと静河さんがいちばん気に入っているのは「シングルマザーになった日」(79頁)だそう。私は幼少時代のおしゃまな静河さんがかわいい「ちびっこマネージャー」(68頁)が好きだ。みなさんのお好きなエピソードもぜひ「#翻訳に生きて死んで」のタグをつけてSNSで教えてください。クォン・ナミさんもきっとご覧になると思います!

藤田麗子

［著者］　クォン・ナミ　권남희

1966年生まれ。韓国を代表する日本文学の翻訳家。エッセイスト。20代中頃から翻訳の仕事を始め、30年間に300冊以上の作品を担当。主な訳書に村上春樹『村上T 僕の愛したTシャツたち』『シドニー！』『パン屋再襲撃』『村上ラヂオ』、小川糸『食堂かたつむり』『ツバキ文具店』『キラキラ共和国』、恩田陸『夜のピクニック』、群ようこ『かもめ食堂』、天童荒太『悼む人』、益田ミリ『僕の姉ちゃん』シリーズ、角田光代『紙の月』、三浦しをん『舟を編む』、朝井リョウ『何者』、東野圭吾『宿命』、鈴木のりたけ『大ピンチずかん』、ヨシタケシンスケ『メメンとモリ』など。著書に『スターバックス日記』『ひとりだから楽しい仕事』（日本語版は平凡社刊、2023年）、『面倒だけど、幸せになってみようか』『ある日、心の中にナムを植えた My Dog's Diary』などのエッセイ集がある。

［訳者］　藤田麗子　ふじた れいこ

フリーライター&翻訳家。福岡県福岡市生まれ。中央大学文学部社会学科卒業。訳書にクォン・ナミ『ひとりだから楽しい仕事――日本と韓国、ふたつの言語を生きる翻訳家の生活』（平凡社）、キム・ジェシク『たった1日もキミを愛さなかった日はない』（扶桑社）、キム・ウンジュ『悩みの多い30歳へ。――世界最高の人材たちと働きながら学んだ自分らしく成功する思考法』（CCCメディアハウス）、チョン・ドオン『こころの葛藤はすべて私の味方だ。――「本当の自分」を見つけて癒すフロイトの教え』、クルベウ『大丈夫じゃないのに大丈夫なふりをした』（以上、ダイヤモンド社）、ハン・ソルヒ『あたしだけ何も起こらない――“その年”になったあなたに捧げる日常共感書』（キネマ旬報社）などがある。

デザイン　鳴田小夜子
装　　画　花松あゆみ

翻訳に生きて死んで　日本文学翻訳家の波乱万丈ライフ

2024年3月6日　初版第1刷発行

著　　者　クォン・ナミ
訳　　者　藤田麗子

発 行 者　下中順平
発 行 所　株式会社平凡社
〒101-0051 東京都千代田区神田神保町3-29
電話 03-3230-6573［営業］

印　　刷　株式会社東京印書館
製　　本　大口製本印刷株式会社


ISBN978-4-582-83958-6

平凡社ホームページ https://www.heibonsha.co.jp/
落丁・乱丁本のお取り替えは小社読者サービス係まで直接お送りください
（送料は小社で負担いたします）。

【お問い合わせ】
本書の内容に関するお問い合わせは
弊社お問い合わせフォームをご利用ください。
https://www.heibonsha.co.jp/contact/